afgeschreven

Goudkust in Spanje

Goudkust in Spanje

Annemarie Bon

Met illustraties van Andrea Kruis

Staatsliedenbuurt

Van Holkema & Warendorf

ISBN 978 90 475 0825 0
NUR 282
© 2009 Uitgeverij Van Holkema & Warendorf,
Unieboek BV, Postbus 97, 3990 DB Houten

www.unieboek.nl
www.annemariebon.nl

Tekst: Annemarie Bon
Illustraties: Andrea Kruis
Omslagontwerp: Petra Gerritsen
Zetwerk binnenwerk: ZetSpiegel, Best

Is dit vunzige ding toevallig uw eigendom?

'Wat een stomme show is dit,' moppert Tessa. Ze zit samen met haar moeder en John, haar moeders zoveelste liefdeskandidaat, voor de tv te eten met hun bord op schoot. 'Bèh, een miss Barbieverkiezing! Is er niks leukers op tv? Of kan de tv niet gewoon een keertje uit?'
Ze is blij dat ze haar prakkie bijna op heeft, dan kan ze weer lekker naar buiten, naar De Plantage. Lang stilzitten kan Tessa echt niet. Hopelijk zijn er meer kinderen in hun supergeheime speelplek aan de rand van de wijk. Misschien wil haar buurmeisje Jennie mee?
Op tv lopen de barbies af en aan. Tussendoor worden de kandidaten geïnterviewd. Haar moeder vindt het zo te zien geen stom programma. Die zit ademloos toe te kijken. Tessa zwiept van ergernis met haar voet richting het enorme breedbeeld. Haar slipper schiet weg en raakt het glazen salontafeltje. De knijpflacon ketchup valt om en het flesje bier van John wankelt en wiebelt alsof het zelf te veel op heeft. Gelukkig slaagt het

evenwichtskunstje en eindigt het flesje keurig rechtop.
'Dat deed ik niet expres,' zegt Tessa.

John grinnikt. 'Dat moest er nog bijkomen.'

'Kijk nou maar gewoon en klets er niet steeds doorheen met je wijsneuspraatjes,' zegt haar moeder. 'Zo kan ik het niet volgen en voor jou is het ook goed. Misschien leer je er nog wat van. Jij zou je wel eens wat meisjesachtiger mogen gedragen. Daar helpt al die bling bling van je niets aan.'

Tessa trekt haar neus op. 'Mam, die daar zijn echt gestoord. Heb je dat net niet gehoord soms? Ze laten zich opereren, zodat ze net zo'n wipneus, wespentaille en van die ik-snap-er-niks-van-ogen hebben als een póp!'

John kluift aan een kippenpootje en likt zijn lippen af. Hij bekijkt Tessa's moeder alsof ze ook een smakelijk boutje is. 'Zo'n operatie heeft jouw moeder in elk geval niet nodig. Die wint die verkiezing meteen. En zónder operaties. Bij haar hoeft er niks af en ook niks bij.' Hij lacht om zijn eigen opmerking. 'En dat is mooi mazzel voor me, want meestal zijn het de oude verschrompelde weduwen die het grote geld hebben.'

'O, het grote geld?' Tessa's moeder is in één klap haar aandacht voor het televisieprogramma verloren. 'Wat bedoel je daarmee?'

'Bianca, dat snap je toch wel. Jij bent een van de winnaars van de Straatnamenloterij.'

Tessa's moeder pakt de afstandsbediening en zet de tv uit.

'Nee,' zegt ze, 'ik snap het niet. Leg uit!'

'De winnaars hebben meer dan honderdduizend euro gewonnen, ja. En sommigen nog wel meer. Gaat er eindelijk een belletje rinkelen?'

Nu gaat Tessa's moeder met haar handen in haar zij voor John staan. Haar ogen lijken te branden van woede. 'Dus het is jou ook al om mijn geld te doen? Je bent geen haar beter dan al je voorgangers.'

'Schatje, ik zeg toch dat ik bof met zo'n lekker ding als jij. Doe niet zo wantrouwig en opgefokt.'

'Wantrouwig? Ik heb me jarenlang suf gedatet op zoek naar een leuke vriend. Nooit werd het iets, maar sinds ik geld heb, staan de mannen hier zowat in de rij op de stoep te kwijlen.'

'En waarom was je aan het daten?' vraagt John. 'Toch zeker ook omdat je het wat beter wilde hebben en omdat je genoeg had van je baantje bij het callcenter.'

'Ja, hoe leuk denk jij dat het is om mensen een halfuur in de wacht te zetten, dan te zeggen dat je ze doorverbindt en vervolgens stiekem het gesprek afbreekt? Ik ben blij dat ik niet meer hoef te werken.'

'Maar mam,' zegt Tessa, 'sinds je niet meer werkt, verveel je je dood. Je moet een hobby nemen. Is kleren naaien niks voor jou? Je houdt toch zo van verkleden?'

Haar moeder kijkt haar met dezelfde grote barbie-ogen aan als de kandidaten op tv. 'Kleren nááien? Nu ik alles kan kópen?'

Tessa denkt verlangend terug aan vroeger, toen haar moeder nog niet rijk was. Haar moeder was altijd bezig en daardoor kon Tessa lekker doen waar ze zin in had.

'Ik ben niet gediend van types zoals jij,' gaat Tessa's moeder verder tegen John. 'Zoek maar een ander. Is oma Spagaat niks voor jou? Die woont een eindje verderop en heeft ook een aardig kapitaal gewonnen in de Straatnamenloterij.'

'Wat doe je moeilijk, Bianca. Je hebt alles wat je hartje begeert. Geld, een mooi lijf en een stoere vent.'

'Je vergeet haar leuke dochter,' zegt Tessa.

'Juist ja, een leuke dochter.' John kijkt haar aan, maar krijgt er niet zo'n verlekkerde blik bij als waarmee hij naar haar moeder keek. 'Maar wat ik bedoel te zeggen is dit. Wat maakt het uit of ik eerst zeg dat jij een moordwijf bent en bovendien op de tweede plaats de hoofdprijs gewonnen hebt? Het resultaat is hetzelfde: vooral ík, deze jongen hier, heeft de jackpot gewonnen!'

'Jij? Dácht je?' vraagt Tessa's moeder. Ze kijkt John aan alsof ze haar ogen niet gelooft. 'Droom lekker verder. Ik ben met jou niet getrouwd en dat kun je nu verder wel schudden ook. Ik ben helemaal klaar met je. Dáár is de deur. Eruit!'

'Bianca, wat ben je toch een grappenmaakster.' John houdt zijn buik vast van het lachen. 'Ik ben toch je eigen superheld. Kom eens hier, bij je mannetje op schoot.'

Tessa's moeder gebaart met priemende wijsvinger richting de deur. 'Eruit! En nu meteen.'

Als John zich niet verroert, stapt ze op hem af, sjort hem omhoog en duwt hem vervolgens richting voordeur. Als hij tegensputtert, springt Tessa overeind en helpt haar moeder ongevraagd een handje. John lijkt te verbouwe-

reerd om te protesteren. Dat komt pas als hij buiten staat en de voordeur met een klap in het slot gevallen is. John begint op de deur te bonken. 'Bloemetje van me, laat me erin. Doe niet zo flauw. Je kent me toch? Je weet toch dat ik je op handen draag?'

Tessa's moeder hangt met haar rug tegen de deur. Tessa komt ernaast staan. 'Wat moet je toch ook steeds met die mannen?' vraagt ze. 'Ik snap niet wat je in ze ziet.'

'Tja, het is stom, ik weet het,' antwoordt haar moeder, 'maar ik denk dat het de natuur is. Ik kan niet met en ik kan niet zonder.'

'Doe mij maar zonder,' zegt Tessa. Als het om haar vader was gegaan, lag het natuurlijk anders, maar die was al spoorloos voordat zij zelfs maar geboren was.

Ondertussen heeft John de deurbel ontdekt. Tessa's moeder trekt snel de stekker eruit.

'Mijn spullen!' John houdt de klep van de brievenbus open en roept daar doorheen. 'Er liggen binnen nog allemaal spullen van mij.'

Haar moeder rent de trap op. Ze wenkt Tessa. 'Kom mee.' Haar moeders slaapkamer is aan de straatkant. Hoewel slaapkamer? Tessa's moeder houdt van mooie kleren en feestjes. Het lijkt wel alsof je de kostuumruimte van een theater binnen loopt. Er staan rekken vol jurken, blouses, jassen, rokken en broeken en op de kaptafel past er zonder twijfel niet één doosje make-up of flesje parfum meer bij. Ze opent het raam en roept naar beneden: 'Een klein momentje geduld. Je spullen komen er zo aan.'

Tessa moet bij het raam gaan staan. Haar moeder geeft alles aan en zij mag het uit het raam gooien. Ze is het niet vaak met haar moeder eens, maar deze actie vindt ze geweldig.

'Hier heb je je spijkerbroek,' roept Tessa. Ze werpt hem uit het raam. Hij landt boven op Johns hoofd. 'En hier is je leren jack en een, twee, drie, vier shirts. Deze onderbroeken mag je ook houden. Jak, mam, dit is een víéze!'

'Die moet je juist uit het raam gooien. Denk je dat ik die nog ga wassen soms?'

Er volgen nog een weekendtas (eigenlijk van haar moeder, maar die hoeft hem niet meer en dan kan John zijn

zooi tenminste makkelijker meenemen), een tandenborstel, scheerschuim, scheermesjes, aftershave (dat flesje
overleeft de val alleen niet), een mobieltje (John: 'Nee,
niet met mijn mobieltje gooien!'), zeven sokken, een
sweatshirt, een pet, een stapeltje tijdschriften met blote
vrouwen (Tessa's moeder: 'Smeerlap!'), vijf dvd's, een
mes (nee, toch maar niet), een rugkrabber, een zonnebril en een paar sportschoenen.
Tessa wrijft zich in haar handen. 'Nog meer, mam?'
'Nee, dat was het.'
'O, jammer.'

Haar moeder komt naast haar uit het raam hangen. Ze
kijken toe hoe John zijn boeltje bij elkaar raapt en in de
achterbak van zijn auto gooit.
Bij de buren gaat de voordeur open. Daar woont sinds
kort een adellijke familie, deftige mensen, die al hun
geld zijn kwijtgeraakt bij de paardenraces. En tot hila-
riteit van de buurt deden zij als enige niet mee aan de
Straatnamenloterij...
Het is de barones die naar buiten komt, waarschijnlijk
gealarmeerd door het lawaai bij de buren. Vooral zij
voelt zich veel te goed voor Goudkust. Het laatste wat ze
wil, is er thuishoren. Dochter Jennie vindt het hier juist
geweldig. Zij is vanaf de eerste dag helemaal ingebur-
gerd.
De barones kijkt naar John en de rotzooi in de tuin van
de buren, met zo'n ijselijke blik dat zelfs een warm kopje
thee er nog van zou bevriezen. Dan valt haar oog op iets

in haar eigen kale voortuintje. Ze bukt zich en raapt het met de topjes van haar duim en wijsvinger op. Het lijkt er niet op dat ze blij is met haar vondst.

'Is dit vunzige ding toevallig uw eigendom?'

John grist het uit haar handen. Bloost hij er nu van?

'Dat is die vieze onderbroek!' fluistert Tessa. Ze moet moeite doen om niet keihard te gaan lachen.

Uit het openstaande dakraampje van de buren klinkt ook onderdrukt gelach. 'Pssst.'

'Jennie,' zegt Tessa. Ze draait rondjes in de lucht met haar wijsvinger. Dat betekent dat ze zo meteen naar De Plantage gaat. Jennie snapt de boodschap.

Beneden hen is de barones weer naar binnen gegaan. John is klaar met inpakken.

'Treurwilg. Takkenbos. Verlepte rododendron,' roept hij naar boven.

'Loser,' roept de moeder van Tessa terug.

John stapt in zijn auto, zet keihard Frans Bauer op en rijdt met gierende banden weg.

'Opgeruimd staat netjes,' zegt Tessa's moeder. 'Nu nog even het bed verschonen en dan is alles weer zoals vroeger.'

Over dat laatste heeft Tessa zo haar bedenkingen.

Sinds in hun straat de hoofdprijs van de Straatnamen-loterij gevallen is, is er juist bijna niks meer hetzelfde in Goudkust. Om over haar moeder maar te zwijgen. Tessa ziet het er nog wel van komen dat een nieuwe minnaar er met het geld van haar moeder vandoor gaat. Aan een hobby of leuk werk zou ze meer hebben dan aan weer een vrijer. Maar wat dan? Haar moeder heeft geen diploma's. Het enige wat haar interesseert, is zich verkleden en optutten.

Geldwolven opgerot

 Als Tessa naar buiten gaat, staat Jennie al op haar te wachten. Vanachter de vitrage ziet Tessa dat de barones hen nauwlettend in de gaten houdt, maar haar dochter verbieden te spelen met dat 'ordinaire buurmeisje' durft ze niet meer. Ze wil de buurt niet nog meer tegen zich krijgen.

Tessa en Jennie slaan de armen om elkaar heen en samen lopen ze door de Goudenregenstraat.

'Wat een verschil met een paar maanden geleden, hè?' merkt Jennie op. 'Ze kunnen hier wel een parkeergarage bouwen voor alle auto's. Hier heeft niet ieder gezin één auto, maar ieder gezinslid twee.'

'Dat moet dan wel een parkeergarage worden met een speciaal beveiligd gedeelte voor al die peperdure sportwagens.'

Jennie grinnikt. 'Ja, stel je voor dat Mercedes Beng weer een dipje krijgt en zin heeft om auto's in elkaar te gaan rammen.'

Ook al is Mercedes Beng loeisterk en kan hij soms uit zijn dak gaan, Tessa weet dat er in Henkie, want dat is zijn echte naam, geen greintje kwaad schuilt. Zijn zoontje is vroeger door een auto aangereden. Zijn dood is Mercedes Beng nooit te boven gekomen.

'Wel tof van hem trouwens dat mijn vader zijn oude bak kreeg,' zegt Jennie.

'Gelukkig is hij er nooit achter gekomen dat jouw vader zijn duiven twee keer per week op het menu had staan.' Jennie veegt met haar hand zogenaamd zweetdruppeltjes weg. 'Pffft, zeg dat wel.'

In de straat staan de auto's aan weerszijden dubbel geparkeerd. De bewoners van de Goudenregenstraat hebben onlangs uit pure noodzaak zelf eenrichtingsverkeer ingesteld. Kwamen er tegelijk auto's van twee kanten aanrijden, dan leidde dat onherroepelijk tot heftige ruzies, vooral met bewoners uit andere straten. Niemand wilde achteruit, maar de vrije strook in het midden van de straat was te smal geworden om elkaar te kunnen passeren. Gelukkig dat de kinderen Plantage Vrijstaat hebben, want hier rondhangen zonder krassen of andere autoschade te veroorzaken, is net zoiets als achter Sjaak Spetter lopen zonder nat te worden. Zoals die man op straat loopt te tuffen!

Maar de auto's zijn niet de enige verandering in de Goudenregenstraat. Tessa en Jennie lopen langs het huis van Titatoontje dat hij heeft verbouwd tot een namaakkasteeltje met torentjes en schietgaten om zijn tuinkabouters in de gaten te kunnen houden. Bij oma Spagaat zijn

de bouwvakkers nog bezig. Daar komt een zwembad in
de achtertuin met een turboglijbaan vanaf het dak.
'Ik wou dat het al klaar was,' verzucht Tessa. 'Oma Spagaat heeft beloofd dat alle kinderen welkom zijn, omdat
sporten en dus ook zwemmen goed voor je is.'
Jennie knikt. 'Klopt. Kijk maar naar oma Spagaat zelf.'
Even verderop bij de buren van Mercedes Beng zijn
problemen. Een man in een maatpak met krijtstreepjes

en een kleurige stropdas leunt met zijn volle gewicht tegen de openstaande voordeur. De buurvrouw kan die niet meer dichtduwen, wat ze zo te zien wél graag zou willen.

Tessa en Jennie blijven nieuwsgierig staan. Gratis straattheater!

'Heb je de spandoeken niet zien hangen hier in de straat?' schreeuwt de buurvrouw. 'VERBODEN VOOR VERZEKERINGSAGENTEN en GELDWOLVEN OPGEROT staat daarop. Of kun je soms niet lezen? Laat ik het je dan nog één keer zeggen: wij motten geen spaarpolissen met criminele woekerrentes, geen verzekeringen en al helemaal geen aandelen in failliete banken. Geen behoefte aan, gesnopen?'

'Excuseer, mevrouw,' zegt de krijtstreep, 'ik kom ook niet voor een spaarpolis of een verzekering, ik wil u een aanbieding doen…'

'Dat is hetzelfde,' gaat de buurvrouw verder met zo'n stemvolume dat Tessa en Jennie het thuis ook nog hadden kunnen horen. 'Ik wil geen koopje waar alleen jij rijker van wordt. Lees dit bordje maar eens.'

De buurvrouw draait het hoofd van de man een kwartslag en drukt hem bijna met zijn neus tegen een bordje dat naast de bel hangt.

'Excuseer, mevrouw, van zo dichtbij kan ik dat niet lezen. Ik ben ook al een dagje ouder.'

'Nou, dan vertel ik het je wel,' gilt de buurvrouw. 'Daar staat: AAN DE DEUR WORDT NIET GEKOCHT.'

Uit het huis ernaast stapt Mercedes Beng naar buiten.

Hij stroopt zijn mouwen op en laat zijn enorme spier-ballen even rollen. 'Hulp nodig, buuf? Hebben we daar weer een opdringerig mooie-praatjesverkopertje? Ha, jouw soort kennen we! Daar hebben we de laatste tijd behoorlijk overlast van.'

De krijtstreep verschiet van kleur zoals een roze zuur-stok na wat gesabbel. Spierwit.

Net goed, denkt Tessa.

'Ik verkoop geen verzekeringen. Ik ben van een beveili-gingsbedrijf met een internationale reputatie.' Hoe dich-terbij Mercedes Beng komt, hoe sneller de krijtstreep zijn verhaal afratelt. 'Wij leveren alles, van hang- en sluit-werk, hekken, cameratoezicht, alarminstallaties tot aan persoonlijke bewaking. Wij zijn aangesloten bij het Slo-tenmakersgilde en bieden een uitstekende service. We hebben een hands-onmentaliteit en zijn pas klaar als het werkt. Als u voor ons totaalpakket kiest, kan ik u een fikse korting aanbieden.' Dit laatste is bijna niet meer te verstaan.

Mercedes Beng staat recht tegenover de krijtstreep en drukt zijn neus bijna tegen hem aan. De krijtstreep krimpt. Als hij verder naar achteren had gekund, had hij dat ongetwijfeld het liefst gedaan.

'Dus jij dacht dat wij hier beveiliging nodig hadden?'

'Ja.' De krijtstreep knikt onderdanig. 'Hier is toch de hoofdprijs gevallen? Hier wonen nu toch allemaal zeer vermogende mensen?'

'Dus jij dacht dat wij hier beveiliging nodig hadden?' vraagt Mercedes Beng nog een keertje.

Het knikje van de krijtstreep is amper zichtbaar.

'Nou, niet dus.' Mercedes Beng pakt de man bij zijn bovenarmen vast. 'Allereerst wordt hier niet gestolen. Wij zijn hier allemaal maten van elkaar. Die besodemieteren elkaar niet.'

'Elkaar niet, nee,' zegt Tessa zachtjes.

'Ssst,' zegt Jennie. 'Anders hoor ik niet wat Mercedes Beng zegt.'

'En ten tweede zijn wij zelf prima in staat de boel te beveiligen als we last hebben van brutale gastjes. Zoals jij.' Mercedes Beng tilt de krijtstreep een eindje van de grond omhoog. 'Wil je weten wat we met zulke types doen?'

'Nee.' De krijtstreep schudt verwoed zijn hoofd. 'Dank u wel voor het aanbod.'

'Je hebt mazzel dat ik vandaag in een goede bui ben,' zegt Mercedes Beng. Hij laat de man zakken. 'Maar als je nu niet sneller weg bent dan mijn duiven kunnen vliegen, zorg ik er hoogstpersoonlijk voor dat je nóóit meer wegkomt.'

Mercedes Beng hoeft dit maar één keer te zeggen. Het scheelt niet veel of de krijtstreepjes blijven achter, zó snel piept de man ertussenuit.

Tessa en Jennie schieten in de lach.

'Applaus voor Beng!' zegt Tessa. 'Jij bent onze held.'

'Anders de mijne wel,' zegt de buurvrouw. 'Het klopt wat ze zeggen: geld maakt niet gelukkig.'

'Niet?' vraagt Mercedes Beng. 'Ik weet er wel raad mee,

hoor. Marmeren vloertjes in mijn duivenhokken met airco en verwarming. Mooie dolby surround met natuurgeluiden voor mijn torteltjes en de allernieuwste digitale apparatuur voor mijn wedstrijdduiven. Ik laat ook nog een standbeeld van mijn zoontje maken door een kunstenaar. Het komt in de voortuin. Daar word ik echt wel gelukkig van. Geld moet rollen, zeg ik altijd maar, want wat heb je er anders aan?'

'Dat bedoel ik niet,' zegt de buurvrouw. 'Ik bedoel al die ellende die we erdoor gekregen hebben. Ik vind de jaloezie het ergste! Met die van hierachter uit de Goudvinkstraat lijkt het soms regelrechte oorlog. Ik ben ervan overtuigd dat ze over de schutting gif gestrooid hebben in mijn tuin. Mijn blauweregen is ineens dood. Verdord alsof het herfst is in plaats van bijna zomer. Alle bloesem en blad heeft hij verloren.'

'Ik heb nergens last van,' zegt Mercedes Beng. 'Ik ben met mijn achterbuurman Sjarif even dikke maten als voor die tijd.'

Tessa lacht. 'Maar jullie hebben vredesduifjes. Dat scheelt!'

De meiden lopen weer verder nu de voorstelling is afgelopen. Bij Ayoubs huis bellen ze aan. Het is het enige huis dat na de Straatnamenloterij hetzelfde gebleven is, al hebben zijn ouders ook een flinke prijs gewonnen. Ze hebben een nieuw busje gekocht om in de vakantie mee naar Marokko te rijden. Verder hebben ze het geld eerlijk verdeeld over de familie, dat wil zeggen twaalf broers en zussen, acht ooms en tantes, de opa's en oma's, en negentien neven en nichten. Ook hebben ze een deel aan de moskee geschonken. Veel bleef er dus niet meer over.

Ayoubs moeder doet open.

'Komt Ayoub buiten spelen?' vraagt Tessa.

'Hij is al buiten,' zegt zijn moeder. 'Hij zal wel ergens op straat rondhangen.'

'O, dan vinden we hem wel,' zegt Tessa. Met een 'bedankt' trekt ze Jennie mee. 'Die is vast in De Plantage,' fluistert ze erachteraan.

Wij lijken wel grote mensen!

Even later lopen de meiden langs de schutting van De Plantage, waarop doodshoofden geschilderd zijn en tal van waarschuwingsborden vastgespijkerd zijn. Die hangen er alleen om ongenode gasten af te schrikken. De Plantage was vroeger een buurtje waar veel dingen gebeurden die het daglicht niet konden verdragen. De gemeente heeft de huizen een jaar of vijf geleden gesloopt met het smoesje dat er nieuwe huizen zouden komen voor de oude bewoners. Het terrein ligt nu al jaren braak en de buurtkinderen hebben er hun eigen geheime speelparadijs gemaakt.

Tessa en Jennie kijken goed om zich heen en kloppen dan op de schutting. 'In naam van Oranje doe open die poort,' zegt Tessa door een gaatje. Een paar tellen later klapt er een deel van de schutting opzij.

'Kom erin,' zegt Ayoub.

'Ik wist wel dat je hier was,' zegt Tessa lachend.

Jennie fluit op haar vingers. En ja hoor, daar komt

Donna al aan gegaloppeerd over het breedste pad door de wildernis van planten heen. Tessa en Jennie hebben even alleen aandacht voor het paard.

'Ha, oosterse schone.'

'Lieve hinkepoot,' zegt Jennie. 'Ben je blij me te zien?'

De meiden knuffelen en aaien Donna, en die vindt dat zo te zien heerlijk.

Na het welkomstritueel lopen de kinderen naar de andere kant van het terrein, waar de stal en de sloop zijn. Braaf loopt Donna achter hen aan. Tessa ziet dat ook Amba en de tweeling Xander en Yara er zijn.

'Eerst eens kijken hoe je stal ervoor staat en of je nog wat te eten hebt,' zegt Jennie tegen het paard.

'Ik heb pas nog voer gekocht, dus dat is niet meer nodig,' zegt Xander. Ook hij en zijn zus wonen in de Goudenregenstraat waar de hoofdprijs gevallen is. Sindsdien krijgen ze bergen zakgeld en doen zij de inkopen voor Donna.

Xander loopt naar Donna toe en streelt haar over haar neus. 'Je bent nu zo'n beetje ons paard hè, want Yara en ik zorgen zo goed voor je.'

'Hállo!' roept Tessa. 'Xander! Doe even normaal. Donna is van niemand. Donna is van zichzelf. En als ze al van iemand is, dan is ze van Jennie.'

Jennie schudt haar hoofd. 'Nee, Donna hoort bij ons allemaal.'

'Maar wij hebben het meeste geld en kopen alle voer voor haar,' helpt Yara haar broer.

'Ja,' zegt Xander, 'dus daarom is Donna vooral van ons.'

'Maar ik heb meegeholpen de stal te bouwen,' roept Ayoub.
'En ik maak de stal best vaak schoon,' zegt Amba. Haar donkere ogen lijken te gloeien van verontwaardiging.

Er komen nog meer kinderen op de herrie af. Er ontstaan twee partijen: Xander en Yara aan één kant, de anderen aan de andere kant. Boze gezichten, vuisten. Ayoub spuugt op de grond.

Alleen Tessa en Jennie staan aan de kant. Jennie heeft een verschrikte blik op haar gezicht. Wat gebeurt er nu toch ineens?

Dan springt Tessa tussen de groepjes in.

'Wij lijken wel grote mensen!' roept ze. 'Moet je ons hier nou zien staan. Krijgen wij hier soms ook al ruzie om geld? Heel Goudkust is stapelgek geworden. Je wilt niet weten wat ik alleen vandaag al heb meegemaakt. Ik ben het helemaal zat. En wat jullie betreft?' Tessa kijkt naar de tweeling. 'Wij kunnen ook zonder jullie geld prima voor Donna zorgen, hoor. Er is hier genoeg te grazen voor haar en iedereen geeft gewoon wat hij missen kan. In onze Plantage is alles van iedereen.'

Het blijft even stil. Xander en Yara kijken naar de grond. Het lijkt alsof ze de boodschap snappen.

'Het is de hoogste tijd voor een vergadering,' zegt Tessa. 'Misschien kunnen we iets aan de problemen doen. Allemaal naar de kuil.'

Tessa loopt voorop. Iedereen volgt haar. In De Plantage is niemand de baas. Toch doet iedereen meestal wel wat zij wil.

De kuil is uitgegraven in de open plek bij de hutten.

Rondom in de kring staan oude plastic tuinstoelen, allemaal gedumpt door de buurtbewoners, maar perfect geschikt voor De Plantage.

'Het spijt me,' zeggen Xander en Yara tegelijk, als ze eenmaal zitten. Ze durven de anderen nauwelijks aan te kijken.

'Oké,' zegt Tessa, 'gewoon niet meer van die geintjes uithalen.' De anderen knikken. Jennie geeft hen een hand als teken dat het wat haar betreft weer goed is. 'Ik ben echt heel blij dat jullie je zakgeld aan voer uitgeven. Ik moet er niet aan denken dat Donna naar de slacht had gemoeten zoals mijn ouders wilden.'

'Och,' zegt Yara, 'zo duur is het voer nou ook weer niet en we hebben toch meer dan genoeg zakgeld.'

'Misschien moeten we regels maken?' stelt Ayoub voor. 'Dat je buiten De Plantage zo veel geld mag hebben als je wilt, maar dat hier alles van iedereen is.'

'En dat we elkaar nooit verraden,' zegt Amba.

'En dat we niets afbreken zonder dat we erover gestemd hebben,' roept Ayoub.

'Zullen we een rooster maken, wie er voor Donna zorgt?' vraagt Jennie.

'Regels?' vraagt Tessa. 'Willen wij regels?' Ze zegt het zo fel dat iedereen schrikt.

'Nee,' zegt Xander. 'Het was stom van ons, maar regels zijn nog stommer.'

'We houden het zoals altijd bij afspraken,' zegt Yara. 'Afgesproken?'

Iedereen knikt instemmend. Iets wat je zelf afspreekt,

doe je omdat je het wilt. Dat is leuk. Iets volgens de regels doen, is omdat het moet. En dat is niet leuk.

'Nu we hier toch zitten,' zegt Ayoub, 'ik heb een paar van die geheime buurtkrantjes. Volgens mij zit Robbie erachter. Ik vind hem best tof. Zullen we vragen of hij lid wil worden van De Plantage?'

Ayoub deelt *Goudkoorts deel 5* uit. Sommigen moeten samen lezen, want er zijn er niet genoeg.

'Handen omhoog wie vóór toelating van Robbie is,' zegt Tessa.

Alle handen gaan omhoog.

'Pols jij hem een keertje voorzichtig zonder ons te verraden?' vraagt Tessa. 'Als hij wil, bedenken we wel een toelatingsproef.'

'Nu even stil. Ik wil lezen,' zegt Amba.

Goudkoorts deel 5

Zwembad

Het zweembad van oma spagaat is bijn aklaar.
Er komt een grote openingsffest met bbq en
kqaraoke
Oma spagaagt ver4dient een oranje lintje

Oud papaier

Ook last vamn teveel oud papier?
Dat komt dfoor de gouderegenstraat.

Daar krijgt elk huis elka dag een doo sreklame
U kunt het voortaan afleveren bij jeffrey

Ruzie

Giestervond was er een hil erge ruzie tussen de
goudenregebstraat en de goudviknstaart.
Over de schuutingen werd er van alles g4esmeeten.
Het begon met slkakken.
Toen werd het kattepoep
Daarn awerden gvolle vuilneszaken leegekiepert.
Toen be,moeide Mercedes Bneg en Sjaak Spstter
zich ermee.

'De geldproblemen worden echt steeds erger,' zegt Jennie. 'Ik geloof intussen bijna dat je zonder geld beter af
bent, want mensen veranderen door geld in wilde beesten.'
'Wilde beesten doen zo niet,' zegt Amba. Ze geeft Donna
een aai. 'Alleen mensen zijn zo hebberig.'
'Precies,' zegt Tessa, 'ze kunnen er gewoon niet mee omgaan. Ze zouden aan ons het goede voorbeeld moeten
nemen.'
'En aan mijn ouders,' zegt Ayoub. 'Die hebben het meeste gewoon gedeeld.'
Yara frommelt het krantje tot een prop. 'Goudkoorts is
echt wel een goede naam voor het buurtkrantje,' zegt ze.
'In het wilde westen liep goudkoorts ook altijd uit op
moord en doodslag.'

'Hou op,' zegt Tessa. Ze is gaan staan en ijsbeert in de rondte. 'We moeten iets verzinnen. Maar wat?'

'Misschien hoeven we zelf niks te verzinnen,' zegt Amba. 'Vrijdagavond is er een bijeenkomst in het buurthuis. Er komt een soort geldtherapeut die een cursus *Zo maakt geld gelukkig* geeft. Mijn oma gaat er ook naartoe.'

Tessa fronst haar wenkbrauwen. 'Wat kost die cursus?'

Amba haalt haar schouders op. 'Volgens mij is het gratis.'

'Dat klinkt verdacht,' stelt Tessa vast.

'Ik ga daar maar eens een kijkje nemen vrijdagavond. Wie gaat er met me mee?'

Wie goed doet, goed ontmoet

'We verstoppen ons gewoon aan de zijkant van het podium.' Tessa trekt Amba mee tussen de stoelen door naar voren. Niemand die hen ziet. Het is vrijdagavond halfzeven. De bar is nog onbemand en het zaaltje van het buurthuis is leeg. Zelfs de beheerder en P.P. Dinero, de geldtherapeut, zijn nog nergens te bekennen. Om zeven uur begint de cursus. ZO MAAKT GELD GELUKKIG staat te lezen op de posters die door de hele wijk heen hangen, zelfs tegen de schutting van De Plantage.

'Mist je moeder je niet?' vraagt Amba. Ze draait een elastiek om haar dikke bos kroeshaar. Het is warm hierbinnen.

Tessa grinnikt. 'Nee, ze denkt dat ik op mijn kamer ben. En hoe zit dat bij jou?'

'Dat denkt mijn moeder ook. En ze heeft het zo druk met mijn broertjes, dat ze mij toch niet mist.'

Tessa en Amba lopen het trapje aan de rechterkant van het podium op en schieten snel tussen de coulissen. Zij willen het fijne weten van deze cursus. Zeker omdat kinderen vanavond niet welkom zijn. Maar daar laten Tessa en Amba zich niet door weerhouden.

'Kijk!' Tessa wijst naar een stapel kisten en dozen. 'Daarachter kunnen we ons mooi verstoppen.'

De meiden zijn op een onhandige zitplaats voorbereid. Tessa haalt uit haar rugzak een kleedje en twee kussentjes. Misschien dat ze dan makkelijker een paar uur stil kan blijven zitten. Amba heeft een fles cola, bekertjes en een koker chips bij zich. Stilzitten vindt Amba geen probleem. Misschien houdt ze er zelfs wel van, denkt Tessa, zolang er tenminste wat te snoepen is.

'Als je nog moet plassen, doe het dan nu,' zegt Tessa. 'Of je moet het in een bekertje willen doen. Ik ga trouwens zelf ook maar even.'

Ze zijn nog niet terug of de mensen stromen het zaaltje binnen. Het zijn bijna allemaal bewoners van de Goudenregenstraat, maar een paar mensen uit de Goudvinkstraat, zoals mevrouw Wittebrood en de ouders van Jeffrey, zijn er bijvoorbeeld ook.

'Die hópen zeker op het grote geld,' fluistert Amba.

'Of ze hebben zwart geld,' fluistert Tessa terug.

Op het podium wordt de microfoon getest en de beamer aangezet. ZO MAAKT GELD GELUKKIG verschijnt er op het scherm. Daaronder staat in kleinere letters: OMGAAN MET HET GROTE GELD. P.P. Dinero heeft vast en zeker een flitsende powerpointpresentatie in elkaar gedraaid.

Bij de bar is het dringen om drankjes: koffie voor de vrouwen en bier voor de mannen.

'Je ziét gewoon dat ze roddelen,' zegt Tessa tegen Amba terwijl ze tussen de gordijnen door loert. 'Kijk, daar zegt een mevrouw iets tegen de moeder van Jeffrey. Je ziet dat niemand het mag horen, want ze fluistert het in haar oor. "Niet kijken," zegt ze vast. Hihihi, zie je, ze kijkt wel. Nou ja! Krijg nou wat! Ze roddelen over mijn moeder!' Tessa springt op en wil het ze betaald zetten, maar Amba trekt haar weer naar beneden. 'Ssst!'

Het duurt nog een kwartier voor iedereen zit. Degenen die geen prijs gewonnen hebben, zitten achter in het zaaltje bij elkaar.

P.P. Dinero tikt op de microfoon. Hij staat er stralend en zelfverzekerd bij. 'Goedenavond, dames en heren. Ik ben P.P. Dinero, voor vrienden en dus ook voor u: Pepe. Ik ben niet blij en wel blij dat u in zo'n groten getale bent gekomen. Niet blij, omdat de nood blijkbaar hoog is hier in Goudkust. Wel blij, omdat u bij mij terechtgekomen bent. Wees ervan verzekerd dat ik u kan helpen. Ik weet hoe geld gelukkig maakt. Vertrouw op mij.'

Tessa steekt haar vingers in haar keel en doet alsof ze moet overgeven. 'Wat een eigendunk heeft die vent.'

'Ssst!'

'Ik ben economisch psychotherapeut. Ik heb me erin verdiept hoe mensen met tijd, geld en energie omgaan. Geloof me dat mensen rare kronkels maken als het om geld gaat. Ik zeg maar zo: geld is het slijk der aarde. Het haalt het slechtste in de mens naar boven. Ik ben gespecialiseerd in het begeleiden van winnaars van grote geldbedragen, zoals u. Ook verliezers, familie en omgeving kunnen bij mij terecht. Om uw geheugen op te frissen heb ik een filmpje samengesteld met journaalbeelden, waarop u kunt zien hoe het hier allemaal begonnen is. Kijkt u even mee?'

Op het scherm kunnen Tessa en Amba nog net de beelden zien van het feest in hun straat toen de hoofdprijs van de Straatnamenloterij in de Goudenregenstraat viel. 'Daar ben ik!' zegt Tessa.

'Ssst!'

'Het straalt er vanaf dat de prijswinnaars uit de Goudenregenstraat een enorm geluksgevoel overviel,' vertelt Pepe op zo'n toontje alsof hij het hoogstpersoonlijk zo geregisseerd heeft. Dan zijn de kakkers in beeld. 'Geheel anders is het bij degenen die niet hadden meegedaan aan de loterij. Die voelen zich ineens verliezers, omdat ze superrijk hadden kunnen zijn als ze meegedaan hadden. Ziet u hoe vreemd dit is? Deze mensen hebben niets verloren want ze hebben niet eens meegedaan.'

Tessa en Amba schieten in de lach. Ook in de zaal wordt hardop gelachen.

'Die waren alles al kwijt!' roept iemand.

Tessa weet dat Pepe gelijk heeft. Geld maakt hebberig en jaloers. Ze hoeft maar naar mevrouw Wittebrood te kijken. Die viel net als de kakkers buiten de prijzen. Dat iemand er zó misselijk van jaloezie uit kan zien. Ze kon beter Schimmelbrood heten dan Wittebrood.

Als het weer stil is in de zaal, gaat Pepe verder.
'Het overweldigende geluksgevoel als je geld wint, blijft jammer genoeg niet voor eeuwig. Het duurt maximaal een jaar, afhankelijk van de hoogte van het bedrag. Het is te vergelijken met de kick die u van shoppen krijgt. Dat gevoel is net een soort dronkenschap en blijft ongeveer twee uur hangen. Daarna is alles weer als vanouds,

behalve dat u de nodige eurootjes armer bent. Maar ook bij kooplust ligt het aan de hoogte van de uitgaven. Hoe duurder de aanschaf, hoe groter de kick.'

Onder de vrouwen in het zaaltje klinkt een onderdrukt gegiechel.

'Het geluksgevoel is waarschijnlijk al behoorlijk gedaald bij u. Dat is tot daar aan toe. Maar wie het grote geld wint, krijgt helaas met een aantal problemen te maken,' gaat Pepe verder.

Op het scherm leest Tessa: VERSLAVING, JALOEZIE EN EENZAAMHEID.

Er valt een stilte. Alleen achter de coulissen is een zacht geknisper te horen.

Tessa stoot Amba aan, gebaart naar haar mond en fluistert dan zo zacht als ze kan: 'Je chips kraken!'

Gelukkig gaat Pepe gewoon door. Hij heeft niets gehoord. 'Mag ik u iets vragen? Herkent u deze problemen?'

Eerst klinkt er een voorzichtig 'ja', maar binnen de kortste keren roept iedereen door elkaar heen.

'Mijn familie heeft met me gebroken.'

'De achterburen doen me een proces aan vanwege mijn verbouwingen.'

'Mijn kinderen worden gepest op school.'

'Ik wilde het het liefst geheimhouden, maar door de media weet nu de hele wereld dat ik rijk ben.'

'Ik moet altijd betalen als we uit eten gaan.'

'Mijn hele huis is onder gekladderd met leuzen en graffiti.'

'Ik ben doodsbang dat mijn geld zo op is.'

'Mijn geld is al bijna op. Nog even en ik zit weer in de schulden.'

'Alle mannen zitten achter me aan vanwege mijn geld.' Dat was Tessa's moeder. 'Zelf verveel ik me dood sinds ik niet meer werk.'

P.P. Dinero knikt met een begrijpende blik, die hij net iets te lang op Tessa's moeder laat rusten. 'Ik hoor het al. Ook hier spelen de drie grote problemen: verslaving, jaloezie en eenzaamheid. In vaktermen heet dat het dollarsyndroom. Van het dollarsyndroom is verslaving de grootste boosdoener. Pas toch op! Verslaving loert om de hoek als een zevenkoppig monster. Nu kunt u nog alles kopen wat uw hartje begeert. Dat is even leuk, maar het verveelt snel en net als bij drugs wil je steeds meer hebben. Ik smoor uw verslaving in de kiem. Voorkomen is beter dan genezen. Want op zeker moment is het geld op, maar de kooplust en behoefte aan geld over de balk gooien is er nog steeds.'

'Haha,' zegt Tessa, 'daar weten ze in Goudkust wel raad op. Die hebben hun eigen manieren.'

'Ssst.'

'Het volgende gevaarlijke aspect van het dollarsyndroom is de jaloezie.' Pepe kijkt het publiek indringend aan. Dat wordt er zelfs een beetje stil van.

'Ja, jaloezie! En dan heb ik het over de mensen die jaloers zijn op u en op uw geld uit zijn…'

De Goudenregenstraat klapt.

'…maar ook over uw eigen jaloezie. Het is wetenschappelijk bewezen dat hoe meer iemand heeft, hoe jaloerser hij wordt op degene die nog meer heeft.'

De Goudvinkstraat klapt.

'Het laatste levensgrote probleem is de eenzaamheid. Ik zeg maar zo: het is nu eenmaal eenzaam aan de top. Een beetje rijker dan de rest is leuk, maar ben je té rijk dan hoor je er niet meer bij in de buurt. Vrienden en familie laten je vallen, tenzij je hen voortdurend goed bedeelt. En zelfs tussen de winnaars onderling zal het uiteindelijk oorlog worden.'

'Volgens mij heeft hij nog gelijk ook,' zegt Tessa.

'Ssst.'

Pepe maakt een weids gebaar met zijn armen en toont een vaderlijke glimlach. 'Maar zover hoeft het gelukkig niet te komen, wanneer u zich inschrijft voor mijn cursus. Ik garandeer u succes in de bestrijding van verveling, angst en eenzaamheid. Ik leer u uw eigen psychologische geldtype te ontdekken. Bent u een spaarder, een boekhouder, een vrek, een spender, een avonturier, een vrijbuiter, een winnaar, een loser of een goedgelovige goeddoener? Ik help u met uw moneymanagement en alle juridische aspecten. Ik leer u de juiste manieren om u aan te passen aan uw nieuwe sociale klasse. Ik leer u van uw geld een waar groeikapitaal te maken, in psychologische zin natuurlijk. Aan het eind van de cursus kunt u verstandig en probleemloos met uw bezit omgaan en weet u hoe geld gelukkig maakt. Het dollarsyndroom zal u niet te pakken krijgen.'

'Als ze dan nog geld hébben,' zegt Tessa. 'Ik vertrouw hem niet helemaal. Zijn praatjes zijn te glad.'

'Ssst.'

'En wat mag dat dan wel kosten?' vraagt Sjaak Spetter.

'Mijn cursus op zich is gratis,' zegt Pepe. 'Ja, ik zie u verbaasd kijken. Maar ik ben nou eenmaal niet materialistisch ingesteld en mijn levensmotto is: wie goed doet, goed ontmoet. Toch zijn er wel wat kosten aan verbonden en die zal ik nu toelichten.'

Op het scherm verschijnen verleidelijke foto's van de Costa Blanca in Spanje. Strakblauwe luchten, rotspartijen, stranden en torenflats.

'De problemen in Goudkust zijn te hoog opgelopen. Ik heb mijn oren en ogen niet in mijn portemonnee, uh broekzak, zitten. Daarom is een time-out van het allergrootste belang. U moet afstand nemen, alles loslaten, tot uzelf komen, kortom, u gaat met zijn allen op vakantie. Ik heb wat voorwerk gedaan naar uw favoriete vakantiebestemming. We gaan naar Spanje, naar…'

Pepe hoeft zijn zin niet eens af te maken. In de zaal barst een gejoel los. Daarna zingt iedereen uit volle borst: 'Naar Benidorm! We gaan naar Benidorm. We gaan naar Benidorm. We gaan naar Benidorm.'

'Yes,' zegt Tessa. 'Dat vind ik nou een strak plan.'

'Ssst. Ga zitten!'

'Ik ga mee en geef tijdens de reis workshops, trainingen en opdrachten. U snapt wel dat aan de reis kosten verbonden zijn. Ook mijn onkosten bereken ik natuurlijk. Ik zeg maar zo: ik ben wel goed, maar niet gek.'

Er klinken enthousiaste kreten in het zaaltje. Alleen de bewoners van andere straten zijn stil.

'Rustig, rustig,' maant Pepe tot kalmte, 'ik ben nog niet klaar, want de eerste opdracht ga ik u nu geven. Sommigen van u zitten al in de put. Dat komt doordat geld inwerkt op angst. De enige manier om deze angst te overwinnen is door iets te doen voor je medemens. Alleen dan kun je stoppen met je zorgen te maken over wie er meer heeft of op jouw geld uit is of dat je alles kwijt zult raken. Als je geld weggeeft aan een goed doel of je medemens krijg je ook een geluksgevoel. Alleen verdwijnt die warmtegloed niet. Die is blijvend. Daarom moet iedere cursist als onderdeel van de therapie een bedrag doneren om dit buurthuis op te knappen. Daaraan heeft iedere Goudkuster iets en zo zult u goodwill creëren.'

De beheerder van het buurthuis klapt en fluit onmiddellijk enthousiast. 'Dat noem ik nog eens jofel! Wat een toffe peer ben jij! Super!'

Na enige aarzeling volgen de Goudvinkers zijn voorbeeld en ten slotte klappen ook de bewoners van de Goudenregenstraat mee. Het lijkt alsof er nooit heibel is geweest in de buurt.

Pepe tikt weer op de microfoon. 'Mag ik nog even uw aandacht voor een paar laatste woorden? U hebt nu met eigen ogen gezien hoe heilzaam mijn therapie is, maar u zult nog versteld staan. Wie echt wil leren hoe geld gelukkig kan maken, kan zich nu hier bij mij inschrijven en zijn donatie doen voor het buurthuis. Betaling mag ook cash voor wie problemen met de belasting heeft.'

'Ik heb nog een vraag!' Het is Tessa's moeder. 'Mogen er ook kinderen mee en wanneer vertrekken we?'

'Hm, kinderen? Ik zeg maar zo: kinderen zijn hinderen.' Pepe kijkt bedenkelijk. 'Móét dat?'

'Natuurlijk moet dat!' klinkt het uit de zaal.

'Die laten we echt niet alleen thuis!'

'Kinderen zijn álles voor ons!'

'Oké, oké,' sust Pepe de gemoederen. 'We vertrekken over een week.'

'Yes!' zegt Tessa. 'Dan is het meivakantie.'

'Ssst.'

En we gaan nog niet naar huis

Tik, tik, tik, tik. Het geklop op het raam van Tessa's zolderkamer klinkt nogal dwingend. 'Jennie!' roept Tessa. Ze was juist onder haar bed haar gympen en slippers aan het zoeken. Nu schiet ze zo snel overeind dat ze haar hoofd stoot tegen de onderkant van het bed.

'Au!'

Ieder normaal mens zou schrikken als er op zijn dakraam wordt geklopt.

Tessa niet. Jennie en zij gaan altijd via het dak bij elkaar op bezoek.

'Doe nou eindelijk eens ópen!' roept Jennie met haar hoofd ondersteboven vanachter het ruitje. 'Ik wil even afscheid nemen.'

Met één hand draait Tessa het dakraam open. Met de andere wrijft ze over de zere plek op haar hoofd. 'Lief dat je nog even afscheid komt nemen. We vertrekken zó.'

'Weet ik toch,' zegt Jennie, 'maar eerder lukte niet. Hoorde je me niet spelen?'

'Spelen?'

'Ja, vioolspelen!'

'O, ik dacht dat jullie tegenwoordig katten hadden en dat jullie die in plaats van duiven op het menu hadden staan.'

Jennie geeft Tessa een stomp. 'Mijn vader heeft een tweedehandsje op de kop weten te tikken en nu moet ik weer oefenen. Dat ik geen viooldocent heb, doet er niet toe.'

'Misschien willen ze een straatmuzikantje van je maken?'

'Grrr.'

Tessa slaat haar arm om Jennie heen. 'Flauwe grapjes, hè? Dat komt van de reisstress en omdat ik jou en De Plantage moet achterlaten. Kun je je niet stiekem in de bagageruimte van de bus verstoppen?'

'Nee, mijn ouders worden gek als ze erachter komen,' zegt Jennie. 'En als ik niet hier blijf, wie moet er dan voor Donna zorgen?'

'Dat is waar.'

'Heb je je camera bij je?' vraagt Jennie. 'Ik wil na afloop wel alle verhalen horen.'

'Tuurlijk! Wat denk je?'

Dan drukt Jennie Tessa een cadeautje in haar hand. 'Je mag het pas in Spanje openmaken.'

Even later klimt ze het raam alweer uit. 'Veel plezier, hè! Ik zal je missen. Snif, snif.'

'Ik jou ook!'

Tessa heeft het raam nog niet dichtgedaan of haar moeder staat al beneden aan de trap te roepen. 'Tessa, heb je nou eindelijk alles? Ook je zwempak? En je slippers en je zonnebril en je mobieltje? Je hebt toch geen winterkleren ingepakt, hè? Die kun je gerust thuislaten. Het is in Benidorm minstens tien tot vijftien graden warmer dan hier. Kom je nou?'

'Jaha,' roept Tessa terug. 'Ik kom eraan.'

Ze trekt haar gympen aan en pakt haar slippers in. Dan stormt ze de trap af. In haar knalroze met bling bling versierde rugzak zit alles wat ze maar nodig zou kunnen hebben: een zakmes, een verrekijker, een survivalgids, touw, elastiekjes, een kaart van de omgeving van Benidorm én een sterrenkaart, ijzerdraad, een setje gereedschap, een kompas, een zaklamp én reservebatterijen, een paar knijpers, een naaisetje, pleisters, haar mobieltje (gelukkig heeft ze tegenwoordig een abonnement en betaalt haar moeder de rekening zonder te kijken hoe hoog die is) én oplader, haar camera, een pen, een aantekenboekje, plastic zakjes, een klein Spaans woordenboek en natuurlijk wat kleren, ondergoed en een tandenborstel. Onder aan de trap blijft ze geschrokken staan en laat haar rugzak op de grond glijden.

De hele gang staat vol tassen, beautycases en koffers.

'Mám! Ben je van plan dit allemaal mee te nemen? Dat kan toch niet!'

'Ik hoef er niet mee te sjouwen, hoor,' verdedigt haar moeder zich. 'De bus komt voorrijden.'

'Ja, maar als iedereen zoveel meeneemt als jij, passen we zelf niet meer in de bus.'

Haar moeder glimt. 'Bof ik dat niet iedereen zoveel meeneemt als ik! Jij hebt bijvoorbeeld maar één rugzak.' Ineens betrekt haar gezicht en krijgt ze een argwanende blik. 'Heb je trouwens echt alles bij je? In één rugzak?'

'Ja, mam. Ik hoef me gelukkig niet de hele dag op te tutten om er aantrekkelijk uit te zien.'

Haar moeder kijkt naar de uitbundige outfit van haar dochter en snuift. 'Een kanten ballerinarokje, drie paar kousen over elkaar aan, kistjes aan je voeten, een naveltruitje en een spijkerjack… Nou, smaken verschillen.'

'Maar één ding heb ik wel van jou.'

Haar moeder trekt vragend haar wenkbrauwen op.

'Ik hou net zoveel van gekke kleren als jij.'

Ze schrikken op van een toeter.

'De bus!'

In de straat staat niet één bus. Er staan maar liefst twee luxe touringcars met ronkende motor in de smalle doorgang met alle dubbel geparkeerde auto's. Gelukkig wist iedereen dat de bussen voor zouden komen rijden en waren de zijspiegels vanmiddag al uit voorzorg dichtgeklapt.

Pepe stapt uit en heet Tessa en vooral haar moeder welkom. 'Zal ik even helpen met de bagage, dames?'

Tessa klapt in haar handen. 'Weet wat je zegt!'

'Wat galant!' Haar moeder giechelt. 'Zulke beleefde mannen ontmoet je in onze buurt niet.'

Pepe trekt een glimlach zo breed als de rits in de weekendtas die hij oppakt. 'Ik doe het graag voor zo'n charmante dame. Ik zeg maar zo: met de hoed in de hand, komt men door het ganse land.'

Een rilling trekt langs Tessa's rug omhoog. Nee, hè?

'Mogen we zelf kiezen waar we gaan zitten?' vraagt ze aan Pepe als de tassen onder in de laadruimte van de bus geprop zijn.

'Ja, maar jullie moeten wel in deze bus.'

Als Tessa de bus in stapt – mét rugzak, die wil ze koste wat kost bij zich houden – ziet ze meteen dat er alleen weinig te kiezen valt. De bus zit nagenoeg vol. Naast Mercedes Beng is een zitplaats leeg, maar daar staan twee kooien met duiven. Ze kijkt om naar haar moeder. Die krijgt net een handje van Pepe om haar te helpen instappen. Dan wijst hij haar moeder op een zitplaats voorin. Naast hem. 'En ik dan?' vraagt Tessa. Maar haar moeder heeft al geen oog meer voor haar.

Dan niet, denkt ze.

Op de achterbank zit Amba te zwaaien. Tessa rent door het gangpad naar haar toe.

'Zo te zien zijn wij de enige kinderen in deze bus,' zegt Tessa.

'Ja, als je Plantagekinderen bedoelt. Xander en Yara zitten in de andere bus. Wij moeten het doen met wat kleuters en mijn kleine broertjes die bij mijn moeder en mijn oma zitten.'

Tessa glundert. 'Niet gek, een hele achterbank voor ons alleen!'

Er moeten nog een paar mensen opgehaald worden. Die stappen de andere bus in. Dan is het tijd om aan de grote reis te beginnen. Pepe pakt de microfoon. 'Dames en heren, ik heet u allemaal van harte welkom aan boord. Verstaat u mij in de andere bus ook goed?'

Tessa kijkt door de achterruit naar de andere bus. Daar steekt iedereen zijn duim op. Pepe ziet het ook en zwaait als antwoord. 'Dat geluid zit wel snor! Als iemand iets wil zeggen, dan kan dat gewoon via de microfoon in uw bus. Zelf zal ik afwisselend in de ene en de andere bus plaatsnemen. Nogmaals hartelijk welkom aan boord en welkom bij de exclusieve cursus *Zo maakt geld gelukkig*. Heel verstandig dat u meedoet.'

'Doe effe normaal, Dinero,' roept Sjaak Spetter. 'Wij zijn hier allemaal je en jij, hoor.'

In de bus barst applaus los. In de andere bus zo te zien ook. Pepe wacht tot het weer rustig is.

'U, uh, jullie zien dat we eersteklas rijden. Er is airco aan boord, een toilet en er is per zitplaats veel meer ruimte dan in normale touringcars. De stoelen kunnen uiterst comfortabel in de slaapstand. We rijden vanavond en vannacht lekker een flink eind door, zodat jullie morgenochtend kunnen genieten van een luxe ontbijt in Zuid-Frankrijk. Als alles meezit, bereiken we morgenavond Benidorm.'

Iemand zet in met 'En we gaan nog niet naar huis…'

'Mag ik nog een ogenblik jullie aandacht?' vraagt Pepe. 'We gaan vanavond meteen van start met de cursus. De eerste opdracht is om de chauffeurs elke dag een fooi te geven. Het blijkt dat hoe rijker mensen zijn, hoe gieriger ze worden. Daar word je niet gelukkig van. Doe er iets goeds mee. Maak de chauffeurs blij.'

Een luid claxonconcert in stereo volgt. De chauffeurs hebben blijkbaar geen bezwaar.

'De tweede opdracht is om de dromen die jullie vannacht hebben, te onthouden en op te schrijven. In de netjes aan de rugleuningen van de stoelen zit voor iedereen een schrijfblokje en een pen. Dromen zijn namelijk geen bedrog. Alle problemen hebben hun weerslag in je nachtelijke avonturen. Je moet alleen de taal van je dromen verstaan. Ik doe dat toevallig. Morgen tijdens de reis zal ik jullie de betekenis van jullie dromen vertellen.'

Tessa gaat staan en maakt met haar handen een toeter. 'Kinderen hoeven toch zeker niet mee te doen?'

'Hoeft niet, mag wel,' antwoordt Pepe.

'Om te kunnen dromen moet je wel eerst slapen,' roept Mercedes Beng.

Pepe knikt. 'Daar hebben jullie de hele nacht de tijd voor.'

Iedereen lacht.

Sjaak Spetter loopt naar voren en pakt de microfoon. 'Als onze voorraad tegen de dorst op is, lukt dat vast vanzelf. Maar nu willen we onze muziek. Hier zijn een paar cd's. Het feest kan beginnen! Over een uur begint de karaokewedstrijd.'

Tessa en Amba maken het zich gemakkelijk op de achterbank. Dat is de enige plek waarvan de stoelen niet in de slaapstand kunnen. Maar dat vinden de meiden geen probleem. Het is gewoon een supergezellig groot bed. Lekker languit liggen met hun hoofden bij elkaar. En rechtop zittend kunnen ze vanhieruit alles goed overzien en af en toe een grappige foto schieten van zingende Goudkusters. Maar of ze echt zullen slapen met deze keiharde muziek? De bus is net een rijdende disco, zoals de bassen de ramen doen trillen.

Welke crimineel heeft
dit bedacht?

 'Tessa, wakker worden.'
'Huh?' Tessa knippert, wrijft zich de ogen uit en kijkt dan recht in het gezicht van Amba. Verschrikt gaat ze rechtop zitten. Langzaam dringt het tot haar door dat ze in de bus zit en dat die bus een parkeerterrein op draait. 'Amba! Waarom stoppen we? O, het is al licht. Maar waarom ligt iedereen dan nog te slapen? Waarom stinkt het hier zo? Waar zijn we?'

Amba lacht. 'Wat veel vragen! Ik weet ook niet waar we zijn. Ik las wel net ORANGE op een bord. Die stank die je ruikt dat is bier en daardoor slaapt iedereen dus nog.'

Tessa gaat op de bank staan en ziet dat haar moeders hoofd tegen dat van Pepe is aangezakt. Die duwt dat nu voorzichtig van zich af tegen de rugleuning van de stoel. Jak, denkt ze. Ze griezelt er gewoon een beetje van. Misschien had ze dan toch nog liever John.

Pepe staat op en pakt de microfoon. 'Goedemorgen, dames en heren. Ik zie dat het jullie nog wat moeite kost om wakker te worden. Wat wil je na zo'n feestnacht? Toch zullen jullie allemaal op moeten staan, want we hebben het wegrestaurant bereikt waar we gaan ontbijten. Wie wil, kan hier ook een frisse douche nemen.'

Alsof het een verzameling verroeste robots is die in beweging probeert te komen, zo wordt er gekreund en gekraakt en gemopperd.

'Mijn hoofd.'

'Water! Ik heb dorst.'

'Het is pas acht uur! We zijn toch op vakantie! Welke crimineel heeft dit bedacht?'

Pepe neemt het woord weer. 'Kalm, kalm, alsjeblieft. Na een opfrisbeurt en een ontbijtje voelen jullie je straks als herboren. We worden hier verwacht. Jullie hoeven alleen maar de bordjes GOUDKUST te volgen. Het ontbijtbuffet is links, de douches zijn rechts. En ter herinnering: proberen jullie alsjeblieft je dromen zo snel mogelijk op te schrijven voor je ze weer vergeten bent? Straks gaan we uitzoeken wat ze betekenen.'

Tessa en Amba gaan als laatste de bus uit. Tessa's moeder en Amba's oma, oma Madretsma, staan op hen te wachten. Tessa kijkt verbaasd om zich heen. Wat ziet het er hier anders uit dan thuis. Planten met dikke, vettige bladeren, rotsen in de verte en mmm, de zon voelt hier veel warmer. Ze maakt snel een paar foto's van alle slaperige, chagrijnige Goudkusters.

'Lekker geslapen?' vraagt haar moeder.

'Ja, en jij ook zag ik. Je lag tegen die Dinero aan.' Tessa trekt een gezicht alsof ze misselijk is. 'Je bent net van

John af, je gaat nu toch niet met die Dinero aanpappen?'
'Vergelijk Pepe niet met John!' Haar moeder krijgt er
blosjes van op haar wangen. 'Pepe is een echte heer. Eindelijk eens iemand die niet op mijn geld uit is. Hij is the-
rapeut. Hij weet alles van het dollarsyndroom en doet
gewoon graag goed.'

Tessa zucht. Daar gaan we weer, denkt ze. Haar moeder
heeft haar roze bril opgezet. Zij niet. Ze zal Pepe haar-
scherp in de gaten houden, alsof ze door vergrootglazen
kijkt.

Met zijn vieren lopen ze het restaurant in. Bij het buffet
staat een lange rij Goudkusters te wachten.

'Is dit nou een stevig ontbijt?' hoort Tessa Mercedes
Beng roepen. 'Ministukjes stokbrood en jam? Daar kan
een man echt niet op overleven.'

'Een vrouw ook niet,' zegt oma Spagaat, die vlak voor
hen staat. 'Ik wil het minstens tot morgen redden. Dan
wil ik een duik in de Middellandse Zee nemen.'

Tessa grinnikt. 'Hé, oma, ze hebben ook chocoladecrois-
santjes. Die zijn vast lekker.'

'Lékker?' Oma Spagaat draait zich met haar handen in
de zij om. 'Lékker? Het wordt hoe langer hoe gekker.'

'Dat rijmt!'

'Waarom denk je dat ik vroeger turnkampioen was?
Waaraan heb ik mijn goede conditie te danken? Nou?'

Tessa en Amba halen hun schouders op.

'Nou, niet aan dit soort ontbijten met chocoladecrois-
santjes. Een goede conditie krijg je van volkorenbrood
met pindakaas, vers fruit en een glas karnemelk.'

Amba zet grote ogen op. 'Ik ontbijt nooit.'

'Jij ontbijt nóóít?' herhaalt oma Spagaat.

Oma Madretsma staat erbij te knikken. 'Het is niet goed. Ik zeg het zo vaak.'

Tessa haalt haar schouders op. 'Bij ons in de klas ontbijten meer kinderen niet dan wel.'

'Maar dat is verschrikkelijk,' roept oma Spagaat. 'Dan kunnen jullie niet opletten op school en sporten lukt al helemaal niet.' Ze kijkt Amba nog eens goed aan. 'En waarom ben jij dan niet veel dunner? Vertel eens wat je thuis in je broodtrommel krijgt?'

'Chocola voor de energie, tijgernootjes voor nog meer energie, een mueslireep voor de gezondheid en fruitsnoepjes toe.'

Oma Spagaat slaat haar hand tegen haar voorhoofd en valt bijna achterover. Mercedes Beng vangt haar nog net op. 'Wacht maar tot we weer terug zijn,' zegt ze. 'Hier ligt een mooie taak voor me. Dit kan zo niet doorgaan.'

Amba's oma straalt. 'Ik doe met je mee. Ik zeg vaak tegen mijn dochter: je verwent Amba te veel. Ronde billen zijn mooi, maar het moeten geen ballonnen worden.'

'Oma!'

'Maar nu is het vakantie,' zegt Tessa. Ze trekt Amba mee. 'Jij ook chocolademelk?'

Een uur later zit iedereen weer in de bus. Tessa en Amba hebben een gezellig nestje gemaakt op hun eigen plekje achterin. Tessa's moeder zit voorin, maar zonder Pepe.

Die is overgestapt naar de andere bus die achter hen aan rijdt.

Als de bussen weer op de *péage*, de tolweg, voortsnellen, horen ze Pepe door de speakers: 'Beste Goudkusters, het is tijd voor onze droomanalyse.'

Tessa gaapt. 'Nee, hè. Wat nu weer?' Ze kijkt achterom naar de volgbus en ziet daar Pepe staan met een microfoon in zijn handen.

'Wie wil naar voren komen om zijn droom te vertellen? Ik zal die droom verklaren.'

Niemand staat op.

'Je hoeft je niet te schamen, hoor. Ik zeg maar zo: ons kent ons. Jullie zijn hier allemaal met Goudkusters onder elkaar en je zult elkaar er alleen maar beter door begrijpen.'

Mercedes Beng stapt naar voren en pakt de microfoon in hun eigen bus. 'Ik droomde vannacht dat we vlak bij Barcelona waren, bij de plek waar de duiven bij internationale wedstrijden losgelaten worden en waar ik vandaag mijn duiven de vrijheid geef om naar huis terug te vliegen. Jij, Pepe, droeg een politie-uniform en vond het ineens niet goed om te stoppen, tenzij ik je vijfduizend euro zou geven. Ja, vijfduizend! Toen werd ik zo kwaad, dat ik de chauffeur wegmepte, de bus naar een parkeerplaats heb gereden en hem daarna in elkaar geramd heb als een soort koekblikje.'

Tessa ziet door de grauwe, vuile busruit heen dat Pepe zich snel omdraait alsof hij even afgeleid is. Hij is wit weggetrokken.

'Nou, wat betekent dat?' vraagt Mercedes.

'Tja.' Pepe aarzelt. 'Uit die droom spreekt een hoop woede.'

'Vertel mij wat,' zegt Mercedes.

In allebei de bussen wordt gelachen.

'Die woede uit zich in het vernielen van de bus, maar, uh, die boosheid van je is eigenlijk op mij gericht.'

'En hoe verklaar je dat dan, Pepe? Waarom ben ik zo boos op je?'

'Uh, ja, ik zou het niet weten.' Krijgt Pepe nou een kleur?

'Misschien is het iets uit je verleden? In je dromen komen beelden uit je onderbewuste naar boven. Je onderbewuste weet meer dan je denkt.'

Mercedes Beng kijkt Pepe doordringend aan. 'Ja, vast, maar waarom droom ik dat dan nú? En waarom droom ik over jou? Ik weet het zo net nog niet.'

Tessa ziet dat Pepe zijn rug recht en zich herstelt. 'Ik denk dat het met die duiven te maken heeft. Ik denk dat je bang bent dat ze geen goede tijd maken en dat je mij wilde omkopen. Maar wees niet bang. We maken echt een tussenstop bij Barcelona.'

'Dat is je geraden ook!' Mercedes grijnst. 'Ik denk dat mijn droom een waarschuwingsdroom voor jou was. Kom nooit tussen een duivenmelker en zijn duiven.'

Pepe laat een zucht ontsnappen en pakt een zakdoek om zijn bezwete voorhoofd te deppen. Raar, denkt Tessa. Het lijkt wel of Pepe iets verbergt of ergens bang voor is. Als Mercedes Beng is gaan zitten, staat oma Spagaat op. 'Ik had ook een droom,' zegt ze. 'Mijn zwembad was klaar. Ik ging voor het eerst van de glijbaan. De hele buurt stond te kijken en hing uit de ramen. Het was fantastisch. Ik ging kopje-onder. Toen ik boven water kwam, was er een wonder gebeurd. Ik was veertig jaar jonger! Wat zou dat betekenen?'

'O, die droom is simpel uit te leggen,' zegt Pepe met een zelfgenoegzame grijns op zijn gezicht. 'U denkt dat voor geld alles te koop is, zelfs de eeuwige jeugd. Helaas is het tegendeel waar. Hoe meer waarde u aan geld hecht, hoe ongelukkiger u wordt en hoe eerder u ziek zult worden. Niet voor niets zien gierige vrekken er een beetje uit als de dood zelf. Wat u kunt leren van uw droom, is dat geld alleen gelukkig maakt als u het niet belangrijk vindt en het gemakkelijk kunt uitgeven.'

Oma Spagaat gaat weer zitten.

Nog zes Goudkusters laten hun droom door Pepe duiden. Steeds komt zijn droomuitleg erop neer dat de dromers hun geld moeten laten rollen en er niet te veel aan moeten hechten.

Onderweg ziet Tessa langzaamaan de omgeving veranderen, ook al rijden ze aan een stuk door over de tolweg. Ze rijden voorbij Nîmes, Béziers, Narbonne en naderen zo'n twee uur na het ontbijt de grens van Spanje.

Amba stoot Tessa aan. '*España, vamos aqui.*'

'Huh, wat zeg je?'

'Spanje, daar komen we aan, maar dan op zijn Spaans.'

Tessa's mond zakt open. 'Spreek jij Spaans?'

'Joh, ik kom van Curaçao.'

'O, ik dacht dat je uit Suriname kwam. Maar op Curaçao spreken ze toch Nederlands?'
'Ja, en Papiamento en Engels en Spaans. Ieder kind
spreekt Spaans.'
Tessa klopt Amba op de schouder. 'Dat is vast nog eens
heel handig!'

Wat jij ruikt zijn zweetsokken

 Het is al rond middernacht als Tessa eindelijk de torenflats van Benidorm in de verte ziet opduiken. Ze gluurt onder het dekentje dat Amba over zich heen getrokken heeft. Haar vriendin lijkt wel een spinnende poes, zo knus en veilig als ze ligt te slapen. Tessa laat haar maar even.

Doordat ze bij Barcelona een tijdje moesten zoeken naar de wedstrijdplek van de duivensport, is het later geworden dan de bedoeling was. Maar iedereen had het er graag voor over. Het heilige der heiligen van de duivensport was op een mooie plek met palmbomen en bloesemende struiken. Tegen de hellingen liep een schaapherder met zijn kudde in de olijfgaarden.

Nog nooit hadden ze Mercedes Beng zo gelukkig gezien. 'Dag duifjes van me,' zei hij toen hij de kooitjes opende. 'Vlieg snel als de wind en scoor een mooie tijd. Thuis wacht Sjarif op jullie. En over twee weken ben ik er zelf weer.' Tessa miste Jennie op dat moment wel. Wat zou die genoten hebben.

Maar ondanks het oponthoud en daardoor het late uur is Benidorm een zee van licht in het donkere landschap. De stad heeft als bijnaam het Manhattan van de Spaanse kust, had Pepe verteld. Nu Tessa Benidorm met eigen ogen ziet, snapt ze meteen waarom. Het lijkt alsof in Benidorm uitsluitend wolkenkrabbers en torenflats gebouwd zijn. Rondom rijzen de rotsen omhoog en daarachter ligt de zee.

De bus neemt op de rotonde buiten de stad de afslag naar het centrum. Tessa trappelt met haar voeten en voelt hoe haar hart een extra roffeltje maakt. Ze zijn er bijna!

Naast haar krijgt ook Amba in de gaten dat ze er bijna zijn. Ze wrijft in haar ogen en gaat rechtop zitten.

'Ik ruik de zee al,' zegt ze.

Tessa snuift. 'Wat jij ruikt zijn zweetsokken.'

In Benidorm is het een drukte vanjewelste. Auto's, taxi's en bussen rijden af en aan. Hordes mensen, en niet alleen volwassenen, lopen over straat en veel winkels zijn open alsof het midden op de dag is. En boven alles uit klinkt muziek. Het lijkt alsof in deze stad niemand ooit gaat slapen.

'We zijn op de AVENIDA EUROPA,' leest Tessa van een straatnaambordje.

'Je spreekt dat uit als ABENIDA,' verbetert Amba haar. 'In het Spaans spreek je de v uit als een b.'

'Stom,' zegt Tessa, 'dan kun je toch net zo goed een b schrijven ook.'

Amba lacht. 'Wij schrijven cel toch ook met een c, terwijl we sel zeggen.'

'Ik zeg ook nooit sel maar bak of bajes.'

Amba zucht... 'Altijd een weerwoord, hè?'

Tessa stopt met opnieuw een raak antwoord te verzinnen als ze recht voor zich uit de zee ziet liggen. 'Amba, kijk! De bus rijdt regelrecht naar het strand! We kunnen zo meteen een duik nemen!'

'Midden in de nacht?'

'O, jammer, vergeet dat zwemmen maar!' Vlak voor ze bij het strand zijn, slaan de bussen naar rechts af. Even later, bij hotel Picasso, een vijfsterrenhotel, stoppen de bussen. Nog voor de deur van de bus geopend is, komen er wel vier piccolo's aanlopen met karren om de koffers op te laden.

'Zo zo, Dinero, naar wat voor chique kaktent breng je ons nu?' roept Mercedes Beng. 'Het mag wat kosten, hè? Jij hoeft zeker niet zelf te betalen?'

Gelach alom.

Pepe grijpt snel de microfoon. 'Dames en heren, welkom in Benidorm. Het weer is heel aangenaam. Ondanks dit late uur geeft de boordcomputer 19 graden aan.'

Enthousiast gejoel.

'Beste Goudkusters, nog een moment stilte alsjeblieft en blijf allemaal even zitten tot ik uitgesproken ben. Ik zal het kort houden. Jullie moeten straks eerst inchecken. Hou je paspoort bij de hand. Ga niet dringen, maar wacht rustig op je beurt. Het ontbijt morgen is tussen zeven en elf uur. Ikzelf heb kamer 112. Jullie kunnen altijd bij me terecht met vragen. Jullie hebben hier per kamer een eigen postvakje. Kijk daar regelmatig in, want

daar laat ik berichten achter. Morgen hebben jullie een dag vrij, maar overmorgen gaan we verder met de cursus. Ik verwacht jullie dan om tien uur in de lounge.'
De enthousiaste kreten gaan over in boegeroep.
'Stilte, stilte! Ik wil jullie mijn allerlaatste opdracht meegeven. Gedraag je zoals bij jullie nieuwe stand van vermogende klasse hoort, dat wil zeggen: beheerst en onopvallend, zodat niemand zich aan jullie ergert. Dus zorg dat de muziek en de tv op jullie kamers niet te hard

staan. Geen gezuip op de gangen. Laat de kamers netjes achter. Noteer wat je uit de minibar gebruikt. Maak alleen op de toegestane tijden gebruik van het zwembad, de sauna en de fitnessruimte. En loop niet in zwemkleding door het hotel. Ook voor de mannen kan een blote buik absoluut niet.'

Het boegeroep gaat over in luid gezang. 'En we gaan nog niet naar huis!'

Tessa krijgt bijna buikpijn van het lachen. 'Ik geloof niet dat meester Pepe veel te vertellen heeft over zijn leerlingen. Goudkust in een chic hotel. De giller van de eeuw.'

Ook al zijn ze met twee bussen tegelijk aangekomen, het inchecken verloopt razendsnel. Tessa en haar moeder krijgen de sleutel van kamer 954.

'Hoe denk je al je tassen en koffers naar boven te krijgen?' vraagt ze aan haar moeder. Ze heeft haar vraag nog niet uitgesproken of Pepe knipt met zijn vingers naar een piccolo, wijst naar de berg bagage en zegt: '*Habitación 954, por favor.*'

De piccolo is een heel lange en heel dunne jongen. RIZARD staat er op het naambordje op zijn jasje. Hij stapelt de koffers en tassen op een kar en wil er zelfs Tessa's rugzak bij leggen.

'No, no,' zegt ze snel. Van haar rugzak blijft iedereen af! Rizard schijnt haar te begrijpen. Of hij spreekt Engels, óf 'no' is toevallig ook een Spaans woord. Tessa graait in haar rugzak, pakt het woordenboekje en zoekt 'nee' op. Het is inderdaad 'no'. Spaans is een makkie. Als ze het

63

woordenboek terugstopt, ziet ze het cadeautje van Jennie. Dat gaat ze dadelijk als eerste uitpakken.

Rizard duwt de kar naar de liften en wenkt hen mee te gaan. Al snel zoeven ze naar boven.

Als Rizard de kamerdeur opent en hen naar binnen laat gaan, kunnen Tessa en haar moeder een enthousiast 'O!' niet binnenhouden. Zo'n prachtige hotelkamer hebben ze nog nooit gezien. Nou ja, wel bij soapseries op tv natuurlijk, maar niet in het echt. Er zijn twee kamers met een klein gangetje. De vloer is van marmer en de meubels, de gordijnen en het beddengoed zijn kraakhelder wit. In de badkamer is een bubbelbad en een douche waarin je wel van zes kanten tegelijk besproeid wordt.

'Wat een fantastisch groot beeldscherm,' roept haar moeder als ze de tv ontdekt.

'Mam, je gaat hier geen tv kijken! Je verstaat toch geen Spaans.'

Haar moeder grijpt verschrikt naar de afstandsbediening en klikt snel langs alle veertig zenders. 'Je hebt gelijk! Alleen maar Spaans. Hoe moet dat nu? Geen tv!'

Tessa steekt haar handen vertwijfeld in de lucht. 'Hoe dat moet? We gaan winkelen en de omgeving verkennen. En daarna gaan we lekker naar het strand. Je hebt geen tijd voor tv.'

Haar moeders ogen lichten plotseling op. 'O, een lekker kleurtje zonder zonnebank is natuurlijk wel een buitenkansje.'

'Precies! Vooral een buitenkansje om af te kicken van je tv-verslaving. Je hebt die Pepe helemaal niet nodig om gelukkig te worden met geld. Je moet gewoon iets gaan doen.'

'Hoho, zo praat je niet over Pepe. Hij heeft manieren. Hij weet alles van het dollarsyndroom en doet gewoon graag goed.'

Tessa kijkt om. Bij de deur staat al die tijd Rizard nog te wachten. Ze stoot haar moeder aan. 'Je moet hem een fooi geven.'

Als Rizard de deur achter zich heeft dichtgedaan, pakt Tessa het cadeautje van Jennie. Het is dichtgeknoopt met lintjes. Voorzichtig trekt ze de knoopjes los. Uit het pakje komt een miniboekje tevoorschijn. Ook zit er een kaart bij van een paard.

Een gidsje van de Costa Blanca. Handig voor als je daar avonturen gaat beleven. Liefs, Jennie.

Avonturen? Dat zou leuk zijn, denkt Tessa. Maar zonder Jennie zullen ze maar half zo leuk zijn.

Betekent dat niet zoiets als eerlijk samen delen?

Als Tessa met haar moeder de volgende ochtend in de ontbijtzaal komt, is het daar een herrie vanjewelste. Voor het buffet staat een grote groep Goudkusters luidkeels te mopperen. Zo vroeg, en nu al heibel, denkt ze. Het zal weer eens niet zo zijn.

'Moet je eens kijken. Dit is alles wat er is. Een paar armzalige uitgedroogde broodjes en een blaadje verlepte sla.'

'Nee, daar staan nog suikerklontjes.'

'En dat in een vijfsterrenhotel!'

'Waar is Pepe? Als je hem nodig hebt, is hij pleite.'

'En aan dit hotel geven we dan bergen eurootjes uit.'

'Waarom gaan we niet naar de camping? Dat is veel gezelliger als je het mij vraagt. We kunnen altijd wat obers inhuren voor de barbecue.'

'Waarom is alles op? Het ontbijt is toch tot elf uur? Het is pas halftien.'

Het buffet is inderdaad volkomen leeg, ziet Tessa. Een ober maakt een knipmesbuiging en zegt van alles in het

Spaans, wat natuurlijk niemand begrijpt. Hij kijkt erg wanhopig. Zegt hij nou *roesos*? Amba, denkt ze. Waarom is Amba er niet? Die spreekt tenminste Spaans.

'Roesos,' herhaalt de ober en wijst naar een groep mensen aan een grote tafel. Niet alleen de tafel waaraan ze zitten is afgeladen met etenswaren; op de grond staan tassen en manden, uitpuilend van het leeggeroofde buffet.

Russen! denkt Tessa. 'Roesos betekent natuurlijk Russen,' roept ze trots.

'Verrek,' zegt Sjaak Spetter. 'Dus die Russen daar zijn ons voor geweest. Nou, zo zijn wij dat in Goudkust niet gewend. Wij zijn sociaal. En dat zouden die Russen ook moeten zijn. Was hun land niet communistisch? Betekent dat niet zoiets als eerlijk zullen we alles delen?'

'Net wat ik wou zeggen, Sjaak,' zegt Mercedes Beng. 'Wij zullen ze wel even leren wat eerlijk samen delen betekent.'

Sjaak Spetter en Mercedes Beng stropen hun mouwen op en stappen als twee gorilla's met de armen wijd en de borst vooruit op de Russen af. Die hebben nog niks in de gaten, zó druk zijn ze met alles naar binnen werken. Tessa loopt achter de twee mannen aan, haar digitale camera in de aanslag. Zulke foto's zijn leuk voor Jennie.

Alsof ze het afgesproken hebben, tillen Sjaak Spetter en Mercedes Beng tegelijk een Rus met stoel en al op en zetten die een paar meter verder neer. Dat herhalen ze met het hele clubje, terwijl ze vervaarlijke kreten uitstoten. En al roepen de Russen nog zo hard *njet*, ze zijn te verbouwereerd om op te staan. Het levert Tessa een aantal geweldige foto's op.

Terwijl Sjaak Spetter de Goudkusters uitnodigt aan de tafel waar zojuist de Russen nog zaten, gaat Mercedes Beng wijdbeens voor de groep Russen staan.

'Ik heb een hartig woordje met jullie te spreken,' zegt hij. 'En doe maar niet net alsof jullie me niet verstaan. Ik weet zeker dat jullie donders goed begrijpen wat er aan de hand is. Dat buffet daar is voor ons allemaal, zelfs die Russische salade. Deze keer mogen jullie hier netjes wachten tot wij klaar zijn met eten. Er blijven vast wel wat kliekjes over. Gebeurt dit nog een keer, dan knikker ik jullie eigenhandig met hulp van Sjaak daar, het zwembad in, zónder reddingsvest. Begrepen?'

'Njet, njet,' piepen de Russen.

Klik doet de camera van Tessa. 'Zeg nu eens *cheese*.'

Maar in plaats daarvan zwaaien de Russen met hun handen voor hun gezicht en roepen nog harder: 'Njet, njet.' Houden ze niet van Engels, zouden ze zich nu ineens schamen of zijn ze zelfs in Benidorm bang voor de Russische politie?

Mercedes wenkt naar Rizard die bij de deur als een enthousiaste supporter toekijkt. Tessa durft te zweren dat de Russen hun graaispel niet voor het eerst gespeeld hebben. Rizard wordt als een bewaker bij de Russen neergezet. Mercedes Beng probeert met gebarentaal uit te leggen dat hij honger heeft en wil ontbijten en dat Rizard hem moet roepen als er een revolutie onder de Russen uitbreekt.

Dat uitleggen lukt niet best. Rizard kijkt heel ongelukkig. '*No comprendo*,' roept hij aan een stuk door. Gelukkig komt dan eindelijk Amba met haar familie de ontbijtzaal binnen.

'Hier!' schreeuwt Tessa. Ze wenkt driftig naar haar vriendin. 'Kom hier! We hebben jullie nodig. Jullie spreken Spaans!'

Al na een paar minuten uitleg begint Rizard te glunderen. Hij zwaait met zijn vinger naar de Russen en schuift Mercedes Beng naar voren. Die laat zijn spierballen rollen en stoot een stoere grom uit. Dat is meer dan voldoende om de Russen in toom te houden.

Ondertussen helpen twee obers de Goudkusters om een lange tafel te dekken en het geroofde ontbijt uit de tassen en manden feestelijk uit te stallen. Uit de keuken worden extra versgebakken broodjes, gekookte eieren en roerei met gebakken bacon, vleeswaren, kaas, fruit, yoghurtjes, cornflakes, *churos* (gefrituurde zoete deegslierten), dikke Spaanse chocolademelk en zoete gebakjes aangerukt.

Tessa gaat naast Amba zitten. 'Wat worden we verwend, hè?'

Amba knikt. 'Rizard vertelde me dat die Russen hier elke dag als een zwerm sprinkhanen het complete buffet kaal vreten. De obers vinden het geweldig wat Mercedes en Sjaak hebben gedaan.'

'Waar is Pepe eigenlijk?' vraagt Tessa.

Amba stoot haar aan. 'Daar!'

Met een rood, verhit hoofd komt P.P. Dinero de ontbijt-

zaal binnen. Hij lijkt net een snelwandelaar. Als hij de
Goudkusters in het oog krijgt, blijft hij onthutst stil-
staan. Langzaam loopt hij verder, alsof hij wat tijd nodig
heeft om te verwerken wat hij allemaal ziet. Een groep
Russen die angstig in een hoekje van de ontbijtzaal zit

onder toeziend oog van een lange slungelige piccolo. En aan een lange tafel de Goudkusters met om hen heen wel vijf obers die zich uitsloven alsof ze met koninklijke gasten van doen hebben.

'Kom erbij zitten, Pepe,' roept Sjaak. 'We hebben de zaak hier prima onder controle, zoals je ziet.'

'Wat ben je laat,' zegt Mercedes Beng met een knipoog, 'het ontbijt is hier maar tot elf uur. Voor je het weet, is alles op.'

'Uh,' antwoordt Pepe, 'ik ben al druk bezig geweest met excursies regelen voor de cursus. Maar uh, hier heb ik jullie niets te leren, geloof ik,' voegt hij er snel aan toe. 'De obers zijn nogal gek op jullie.'

Zo vroeg op pad? denkt Tessa. Raar tijdstip om excursies te regelen en zaken af te handelen.

Met nepdrollen, scheetkussens en suikerklontjes met wormen?

'Kijk eens wat een grappige kaart!' Tessa wappert met een ansichtkaart voor haar moeders neus. Ze staan in een van de vele souvenirwinkels in Benidorm te snuffelen. Op de kaart is een flamencodanseres te zien met een rok van echte kant. 'Mag ik deze naar Jennie sturen? Hij is zó leuk.'

'Natuurlijk.' Haar moeder bekijkt de kaart eens goed en droomt een beetje weg. 'Wat een prachtige jurk trouwens. Zo een heb ik nog niet.'

'Is dat erg dan?'

'Ja! Ik wil er ook zo eentje hebben. Ik ga er nú naar op zoek. Een flamencojurk zullen ze hier toch wel verkopen?'

'Mama, als je zo doorgaat met bijzondere jurken en kostuums kopen, kun je wel een verhuurbedrijf voor feestkleding beginnen.'

Het is even stil. Het lijkt alsof een vastgeroest uurwerk in een ouderwets horloge plotseling weer gaat lopen. 'Een verhuurbedrijf voor feestkleding? Daar zeg je zoiets. Hoe kom je erop? Ik heb altijd al een winkel willen hebben. En als ik mijn kleding naar een winkel verhuis, dan heb ik meteen meer ruimte in huis. Tessa, je bent geweldig!'

Tessa vouwt haar handen smekend samen. 'Meen je dat echt?'

'Wat dacht je?'

'Maar gaan we dan ook fop- en feestartikelen verkopen? Please?'

'Waarom niet?'

'Mama! Echt? Met nepdrollen, suikerklontjes met vliegen en wormen, tandpasta waar je blauwe tanden van krijgt, scheetkussens, pennen met inkt die na een tijdje verdwijnt, schmink om namaakblauwe ogen en stoppelbaarden te maken, jeukpoeder, niespoeder, witte zeep waar zwart schuim van afkomt, heel vieze snoepjes en nog veel meer fopspullen? Weet je het zeker?'

Haar moeder straalt. 'Een eigen winkel is altijd mijn grote droom geweest. Hoe kan het toch dat ik dat vergeten ben?'

'Misschien kijk je te veel tv? Daar vergeet je alles door.' Maar zelfs die plagerige opmerking kan het plezier van haar moeder niet dimmen. Tessa zelf glundert zo mogelijk nog harder. Zou dit de oplossing van het probleem zijn? Zou haar moeder eindelijk iets gevonden hebben waar ze lol in heeft?

'Zullen we naar huis gaan?' stelt Tessa voor.

'Nu al? Dit is pas de derde winkel.'

'Ik bedoel naar Nederland! Kunnen we meteen met onze winkel beginnen!'

Haar moeder kijkt verontwaardigd. 'Nee, joh. De cursus van Pepe is een buitenkansje. Ik kan juist veel van hem leren. Er komt heel wat kijken bij een eigen zaak, ook al heb je geld. En bovendien, ik wil eerst een flamencojurk hebben.'

Ze rekenen de kaart af en lopen verder. Het is een vrolijke drukte in Benidorm. Iedereen slentert winkel in en winkel uit. Tessa ziet veel mensen met tattoos, gouden sieraden (gouden tanden trouwens ook), blote buiken, afgezakte broeken waar een spleetje bil uitfloept, korte rokjes en naveltruitjes, eigenlijk zien ze er een beetje uit zoals thuis in Goudkust. En het gekke is dat Tessa vooral Engels en Nederlands om zich heen hoort praten. Zouden hier eigenlijk wel Spanjaarden rondlopen, behalve diegenen die hier werken in de hotels, restaurants en winkels?

Ze twijfelt er erg aan of ze hier een flamencojurk zullen vinden. Alle winkels lijken op elkaar en als je er één gehad hebt, ken je ze allemaal, want overal is hetzelfde te koop: korte broeken, t-shirts met opdruk, zwempakken, ansichtkaarten, bekers met namen, sleutelhangers, tassen, zonnebrillen, zonnebrandcrèmes, waaiers, omslagdoeken en strandballen. Eén foto hiervan is wel voldoende voor Jennie.

Voor straten geldt hetzelfde. Als je er één hebt gehad, ken je ze allemaal: souvenirwinkel, snackbar, souvenirwinkel, snackbar, souvenirwinkel, snackbar. Ook de meeste snackbars lijken op elkaar. Je kunt er pizza, shoar-

ma en hotdogs kopen. Voor wie de Hollandse pot niet kan missen, zijn er Friet van Piet, Hollandse haring en zelfs de Amsterdamse Chinees.

'Mam, in deze buurt gaat het niet lukken.'

Haar moeder trekt denkrimpeltjes in haar voorhoofd. 'Ik ben bang dat je gelijk hebt.' Ze staat even stil, maar begint dan opgelucht te glimlachen. 'We vragen het gewoon aan Pepe.'

'Pepe? Mam, we hebben een dagje vrij! Laat die man er alsjeblieft buiten.'

'Waarom? We mochten hem altijd iets vragen. Kom op, het is maar vijf minuten lopen naar het hotel.'

In de lounge van hotel Picasso lopen ze Pepe meteen tegen het lijf. Hij ziet er alweer even verhit uit als vanmorgen. 'Dat is toevallig,' zegt Tessa's moeder. 'Ik wilde je net wat vragen.'
'Ik zeg maar zo: toeval bestaat niet,' antwoordt Pepe.
'O, nee?' vraagt Tessa.
'Nee, let maar op. Wat wilde je vragen, Bianca?'
'Waar kan ik een originele flamencojurk kopen?'
'Zie je wel!' Pepe tovert een zelfvoldane grijns op zijn gezicht. 'Ik wilde juist naar Callosa gaan. Dat is zo'n tien kilometer verderop het binnenland in. Ik ken daar een voortreffelijke kleermaker. De taxi komt zo voorrijden. Mag ik je een lift aanbieden?'
Tessa slaat haar armen demonstratief over elkaar en plant haar voeten een eindje uit elkaar neer. 'Hier heb ik helemaal geen zin in.'
'Kun je niet even iets anders gaan doen dan?' vraagt haar moeder. 'Daarginds hoor ik de familie van Amba. Ha, nu zie ik ze ook. Ze hebben luchtbedden, strandballen en grote tassen bij zich en een gettoblaster. Die gaan vast met zijn allen naar het strand. Ik vraag wel of je mee mag.' Haar moeder zwaait uit alle macht naar de familie van Amba.
'Wíj waren toch samen?'
'Wil je mee dan? Dat mag ook, hè Pepe? Je hebt toch niks tegen kinderen?'

'Nou, uh, dat wil zeggen, uh nee, tegen die van jou niet hoor, Bianca. Vooruit dan maar.' Pepe maakt een amper zichtbaar knikje.

Tessa wiebelt van haar ene voet op de andere. Ze wil haar moeder niet alleen laten met Pepe – dadelijk gaan ze nog zoenen – maar in meegesleept worden als overtollige bagage, heeft ze nog minder zin. De hele dag lokt het strand en de zee al en dan zou het op het laatste nippertje niet doorgaan. Ook morgen staat er vast geen zonnebaden op het programma.

'Wat is er aan de hand?' vraagt oma Madretsma.

'Mag Tessa met jullie mee naar het strand? Ik ga even met Pepe op zoek naar een flamencojurk. Tessa heeft niet zo'n zin om mee te gaan.'

'Natuurlijk!' zegt oma Madretsma. Ze slaat haar mollige armen om Tessa heen en trekt haar tegen zich aan. 'Kom jij maar lekker met ons mee. Maar een flamencojurk? Houdt je moeder dan van dansen?'

Tessa maakt een wanhopig gebaar. 'Ze houdt van jurken, ze houdt van heel veel jurken.'

'Wel een dansjurk en niet dansen? Dat kan niet! Vanavond in de bar zullen we jullie leren dansen, maar dan op zijn Antilliaans. Salsa en chachacha. Daar kan geen flamenco tegenop. En je hebt er ook niet per se een speciale jurk voor nodig.'

Ondanks haar omvang begint de oma van Amba te swingen en te heupwiegen op de muziek zodat de vonken eraf vliegen. Tessa klapt.

'Uh,' zegt Pepe, 'maar kunnen jullie nu het volume van

de muziek misschien terugdraaien? Lawaai wordt hier in het hotel niet zo op prijs gesteld.'

De oma van Amba lacht. 'Sinds wij de Russen onder controle hebben, wordt alles wat wij hier doen op prijs gesteld.'

Pepe heeft geen weerwoord. Hij neemt Tessa's moeder bij de arm en dirigeert haar naar de uitgang. 'Daar is de taxi al. We gaan.'

'Dan ga ik mijn zwempak maar halen. Beloof je me dat je geen gekke dingen doet, mama?' roept ze haar moeder nog achterna. Maar of die dat nog hoort? En of die zich iets van Tessa aantrekt?

Wat een opgeblazen
zwembandjes hebben jullie!

 Even later sjokt Tessa met Amba, Amba's moeder, oma Madretsma en Amba's kleine broertjes naar het strand. Telkens schieten haar moeder en Pepe door haar gedachten. En hoe meer ze probeert aan wat anders te denken – zwemmen met dolfijnen, Donna, De Plantage, Jennie, school – hoe minder goed het lukt. Dat type moet niet denken dat hij bij hen in huis komt en daar de dienst gaat uitmaken. Daar zal zij, Tessa, mooi een stokje voor steken. Hoe ze dat gaat doen, weet ze nog niet, maar dat ze het gaat doen, is zo zeker als dat haar moeder nu met hem op stap is.

Het is niet ver lopen naar het strand. Voor zich uit ziet Tessa de zee al glinsteren. De broertjes dragen samen de gettoblaster die nog altijd even harde muziek produceert. Toch is er helemaal niemand die boos of geïrriteerd kijkt naar het vrolijk swingende groepje.

De zee is blauwer, het strand witter, de palmbomen groener en de zon stralender dan Tessa zich ooit had kunnen voorstellen. Het strand bij Benidorm is een soort baai tussen de rotsen in. Ook in de verte is een klein rotsachtig eiland te zien. Vogels vliegen er af en aan. Nog verder weg aan de horizon varen zeilschepen. Tenminste, Tessa neemt aan dat ze varen. Vanaf het strand lijken de schepen stil te liggen.

'Wat mooi!' roept Tessa uit.

'Daar!' Amba wijst naar rechts. 'Daar zijn meer Goudkusters. Kom op.' Ondanks de muziek uit hun eigen gettoblaster komt de Frans Bauermuziek hun al van verre tegemoet.

Over het strand verspreid staan heerlijke luie ligstoelen. Zodra ze een paar lege gevonden hebben, slepen ze die naar de Nederlandse nederzetting toe. Bijna iedereen is er. Ook Xander en Yara liggen lekker lui in de zon.

Tessa maakt snel een foto. Als Jennie maar niet te jaloers wordt als ze dit ziet.

Met een ruk trekken Tessa en Amba de kleren uit die ze over hun badpak aanhadden. Net als ze ook op een stoel willen gaan liggen, komt oma Spagaat aangelopen. Ze bekijkt de kinderen met een misprijzende blik.

'Hebben jullie vannacht niet genoeg geslapen?'

'Tuurlijk wel!' roepen Xander en Yara.

'Nou, waarom liggen jullie er hier dan als een stel zandzakken bij? Kinderen horen te rennen, te ravotten en vooral in de golven te duiken!' moppert oma Spagaat.

'Maar er zijn hier helemaal geen golven!' zegt Amba.

Oma Spagaat zet haar handen in de zij. 'Dat doet er niet

toe. Heb jij soms ontbeten vanochtend dat je zo bijde-
hand bent?'

Oma wappert met haar handdoek en mept hier en daar
tegen een bil of een buik. 'Hup, jullie, allemaal opstaan.
Wat een opgeblazen zwembandjes hebben jullie! Foei,
snoepkonten! Jullie worden te veel verwend. Dat grote
geld is nergens goed voor. Daar kan zelfs Pepe niks aan
veranderen.'

Oma Madretsma komt ook aangewaggeld. 'Ik mag misschien niks zeggen, want ik heb zelf geen zwembandjes
maar reddingsboeien. Maar ik wil toch dit zeggen: oma
Spagaat, je bent geweldig!'

Oma Spagaat giechelt. 'Ik ga die kinderen conditietrai-
ning en zwemles geven, dan vliegen hun vetrolletjes er
zo vanaf.'

Xander en Yara hijsen zich omhoog. Ook de broertjes
van Amba komen erbij staan.

'Zo, en doen jullie mij nu eens na!' Oma Spagaat begint
op de muziek allerlei oefeningen voor te doen. 'En links,
twee, drie. En rechts, twee, drie. En recht met die rug. En
naar de grond, twee, drie. En op en neer en op en neer.'
Tessa probeert oma na te doen, maar die gaat veel te vlug.
'Stop maar,' roept oma Spagaat. 'Ik zie het al. Hoe zou
het toch komen dat ik met mijn 86 jaar nog zo fit als een
voetballer en zo slank als een filmster ben?'

Niemand zegt iets.

'Dat komt door de sport.'

'En door gezond eten,' zegt de oma van Amba erachteraan. 'Knopen jullie dat maar eens goed in je oren.'

De kinderen knikken.

'Ik ga zorgen dat jullie ook in topconditie komen. Ik begin deze vakantie met jullie training. Na het ontbijt oefenen we op het strand. 's Avonds gaan we met zijn allen naar de fitnesszaal. Terug in Nederland gaan we in mijn zwembad verder.'

Oma Spagaat zet een fluitje aan haar mond en roept daarna: 'Maak een strakke rij van klein naar groot. En nu… in looppas naar het water!'

Daar gaan ze. Braaf doen ze wat oma Spagaat zegt. Die was vroeger turnkampioen en daar heeft elke Goudkuster, jong en oud, heilig ontzag voor. Voorop marcheren de broertjes van Amba. Daarachter volgen Xander, Yara en Tessa. Amba sluit de rij.

Oma Spagaat rent dapper met hen mee. Ze houdt ze gemakkelijk bij.

Oma Madretsma kan niet zo snel. 'Wacht maar niet op mij,' roept ze. 'Ik heb mijn eigen tempo.'

Tessa ploft onmiddellijk languit in het zand als ze bij de branding aankomt. De anderen volgen haar voorbeeld, maar oma Spagaat blaast alweer op haar fluitje. Gaan liggen is duidelijk niet de bedoeling.

'Dachten jullie dat dit het was? Nou, daar denk ik dus heel anders over,' roept oma. 'Wat moet dat toch met de jeugd van tegenwoordig? Watjes, dat zijn jullie. Hup, allemaal opstaan. We hollen naar rechts tot het strand daar ophoudt bij die rots en maken dan meteen rechtsomkeert.'

'En wat krijgt de winnaar?' vraagt Xander.

Oma's ogen schieten vuur. 'Er is geen winnaar. Jullie zijn een team, samen houd je de looppas vol. Jullie passen je aan de kleinsten aan en blijven keurig bij elkaar lopen, Amba sluit de rij. Daar gaat-ie. Voorwaarts… mars!'

Oma rent dapper met de kinderen mee. Af en toe geeft ze commentaar.

'Rol je voet goed af.'

'Let op je ademhaling.'

'Je kúnt het.'

Als ze bij de rots zijn, zou Tessa het liefst even uitrusten, zó moe is ze. Maar oma Spagaat kent geen pardon. Ze moeten omkeren. 'Gewoon doorlopen. Je moet er even doorheen.'

En oma heeft gelijk. Ineens overvalt Tessa het gevoel dat ze eeuwig door zou kunnen hollen, alsof ze het Olympisch vuur moet wegbrengen.

Die oma Spagaat. Ze zou een goede coach zijn. Wat? Ze is een goede coach!

Na het joggen moeten ze rek- en strekoefeningen doen en daarna langeafstandszwemmen, maar langs de kustlijn en niet ver de zee in.

Na een uur voelt Tessa zich als herboren. De oma van Amba komt aanlopen met grote badlakens om iedereen snel droog te wrijven.

Terug bij de Goudkusters worden ze onthaald met een enthousiast applaus.

'Tijd voor een snackje,' zegt de moeder van Amba lachend. 'Jullie zullen wel honger hebben. Waar hebben jullie zin in?'

Oma Spagaat veert meteen overeind om commentaar te leveren, maar Mercedes Beng legt zijn hand voor haar mond. 'Je moet niet overdrijven, oma. Daar schiet je niks mee op, dan bereik je het tegendeel.'

Alsof de kinderen het ingestudeerd hebben, klinkt het van alle kanten: 'Wij hebben zin in friet van Piet!'

Je houdt je wel aan je woord, hè?

'Wat zijn jullie allemaal keurig op tijd,' zegt Pepe met een tevreden grijns. 'Ik zeg maar zo: petje af voor zo veel discipline tijdens je vakantie.'

Tessa zit met haar moeder vlak bij Pepe. 'Dat komt gewoon door de honger, hoor,' zegt ze. 'Je moet zorgen dat je erbij bent voor de Russen komen.'

Tessa had gisteren niks geks aan haar moeder gemerkt, behalve dan dat ze superblij was met haar jurk. Over vijf dagen kan ze hem ophalen. Tussen haar moeder en Pepe zal nog wel niets gebeurd zijn. Gisteravond tijdens het dansen in de bar van het hotel was hij er niet eens. Maar toch is ze van plan haar moeder vandaag geen seconde uit het oog te verliezen.

Pepe kijkt verstoord op naar Tessa. 'Hoe dan ook, het is fijn dat we met ons programma verder kunnen gaan. Vandaag gaan jullie je koopgedrag onder de loep nemen. Sowieso hebben veel mensen last van koopverslaving. Wie veel geld heeft, loopt extra veel risico. Hebben,

hebben, hebben, maalt het dan door je hoofd. Je móét kopen, je kunt je er niet tegen verzetten. Willen jullie gelukkig worden van jullie geld, dan moet je koopverslaving met wortel en tak uitroeien. Koopverslaving is de grootste vijand van prijswinnaars zoals jullie. Je wordt het gelukkigst van geld als je er verstandig mee omgaat. Beleg je geld, zodat je er elke maand wat rente van krijgt en vergeet verder dat je het hebt. Niet van hebben word je gelukkig, maar van geven en goed doen.'

'Had je niet beter dominee kunnen worden?' vraagt Mercedes Beng. 'Wat een gezeur.'

'Sst,' zegt Tessa's moeder, 'ben je alle ruzies en problemen die we thuis hadden alweer vergeten? Laat Pepe nou even uitpraten.'

Pepe antwoordt met zo'n dankbare blik dat Tessa's maag ervan omdraait.

'Ik zal het kort houden,' gaat hij verder. 'We gaan straks met de bus naar Alicante. Dat is een leuk uitstapje, maar jullie krijgen ook een aantal opdrachten mee. Niet iedereen krijgt dezelfde opdracht, dat is afhankelijk van wat voor geldtype je bent.'

Pepe deelt formulieren en pennen uit. 'Zet je naam op het formulier. Antwoord zo eerlijk mogelijk op de vragen. Ben je klaar, lever het dan in en ga alvast naar de bus. Ik zal de testformulieren onderweg nakijken. Bij aankomst krijg je dan de juiste opdrachten mee. Verder zijn jullie in Alicante vrij om te doen wat je wilt, zolang je je opdrachten maar uitvoert.'

'Krijg ik er geen?' vraagt Tessa als Pepe langs haar loopt.

'Jij hebt toch geen eigen geld!' zegt Pepe verontwaardigd.
Ze steekt haar tong uit. 'Dan doe ik wel met mijn moeder mee!'

De meest vreemde vragen moeten ze beantwoorden. Haar moeder leest voor. 'Hoeveel kleren hangen en liggen er in uw kast die u nooit draagt?'

Tessa lacht. 'Dat zijn er wel meer dan vijftig.'

Daarna volgt nog een waslijst met vragen.

- *Aan hoeveel goede doelen geeft u geld?*
- *Bent u wel eens opgelicht, door bijvoorbeeld een schoorsteenveger of een glazenwasser?*
- *Wat hebt u tot nu toe met uw geldprijs gedaan? Veel hebbedingen gekocht, op de bank gezet, een nieuwe auto gekocht, het huis opnieuw ingericht, veel cadeaus gekocht, een groot bedrag overgemaakt aan een goed doel, anders… [Doorhalen wat niet van toepassing is]*
- *Wat eet u in een restaurant? Een streekgerecht, iets onbekends of friet met mayonaise?*
- *Kunt u uit uw hoofd tot op de euro nauwkeurig zeggen hoeveel geld u bezit?*

Tessa probeert nieuwsgierig te lezen wat haar moeder opschrijft, maar die houdt snel haar hand voor het papier. 'Nee, daar heb jij niets mee te maken.'

'Pepe zeker wel?'

Als ze klaar zijn, lopen ze naar de bussen. Die beginnen al aardig vol te raken. Amba wenkt naar Tessa, maar zij gaat snel naast haar moeder zitten.

Het is niet ver naar Alicante. In minder dan drie kwartier stappen ze uit bij een prachtige boulevard vlak langs

de kust, die bestraat is met een golvend mozaïek waar je
bijna duizelig van wordt. EXPLANADA leest Tessa op een
straatnaambordje. Langs de hele Explanada groeien
palmbomen.

Pepe vraagt iedereen mee te lopen naar een klein parkje
met zulke dikke, van ouderdom bebaarde loofbomen
dat ze zo uit een sprookje ontsnapt lijken te zijn. Daar
gaat hij op een bankje zitten en roept om de beurt iemand bij zich voor een opdracht.

Iedereen krijgt iets anders te doen. De een moet aan zo
veel mogelijk zwervers en straatmuzikanten een paar
euro geven. De ander moet doortrapte misleidende re-
clame opsporen. En Sjaak Spetter moet deze dag proberen om geld te verdienen. Hoe hij dat gaat aanpakken,
mag hij zelf weten. Of hij nou rozen gaat verkopen of
kunstjes gaat doen als straatartiest.

'Jij bent een creatieve avonturier, Bianca,' zegt Pepe
tegen Tessa's moeder als zij aan de beurt zijn. 'Dat is
duidelijk gebleken uit de test. Je hebt het in je om ver-
rassende dingen met je geld te doen.'

'Dat klopt,' zegt haar moeder. 'We hebben een hartstikke leuk plan om een...'

Pepe laat haar niet uitpraten. 'Jouw probleem is alleen
dat je veel te impulsief bent. Je moet leren om eerst te
denken en dan te doen. Misschien is je plan slim, maar
het is dom om de eerste de beste ingeving te volgen.'

Tessa's moeder kijkt wat beteuterd.

'Mam,' zegt Tessa, 'je houdt je wel aan je woord, hè?'

'Niet nadenken en dan achteraf spijt krijgen, dat is jouw

valkuil,' gaat Pepe onverstoorbaar verder. 'Je moet je leren beheersen. Daarom krijg je vandaag als opdracht dat je maar vijfentwintig euro uit mag geven.'

'Vijfentwintig euro! Daar kun je nog niet eens iets te eten voor kopen.'

'Wees creatief!' zegt Pepe met een knipoog. 'Maak er een leuke dag van! En als het niet lukt, wil ik wel met jullie meegaan, hoor.'

'Niet nodig,' zegt Tessa. Ze trekt haar moeder aan haar mouw. 'Het lukt ons best op eigen houtje. Kom mam, we gaan. Zie je die burcht daar boven op die rots? Daar wil ik naartoe.'

'Naar een kasteel? Och, waarom ook niet?' antwoordt haar moeder. 'Eigenlijk boffen we met onze opdracht. Wij hoeven niks. Wij zijn vrij. We mogen alleen amper geld uitgeven. Maar die berg beklimmen is gratis. Net als die heerlijke zon hier.'

'Dat bedoel ik nou,' zegt Pepe. 'Ik wist het wel. Jij snapt het! Te veel geld is gevaarlijk. Echt genieten kost niks. Vergeet niet achteraf dit vragenformulier over je ervaringen in te vullen.'

Ik krijg er alleen wel dorst van

Tessa en haar moeder lopen over de Esplanada. De zon is heerlijk warm op hun rug. Aan de rechterkant lonkt de azuurblauwe zee en links duikt de enorme berg op met bovenop een stoere burcht uit de tijd toen de Moren nog de baas waren in Spanje. In de verte ziet Tessa een rij mensen staan bij de ingang van een tunnel. Die tunnel is bijna 200 meter lang en komt uit bij liften waarmee je dwars door de berg omhoog kunt naar de burcht.

'Nou ja, drie euro per persoon!' zegt haar moeder als ze eindelijk aan de beurt zijn bij de loketten. 'Dat is wel duur, zeg. Dan hebben we nog maar negentien euro over.'

'Laten we gaan lopen,' zegt Tessa. 'Lekker stoer.'

'Tegen deze rots op naar boven klimmen?' Haar moeder kijkt erbij alsof Tessa voorstelt de tv voorgoed de deur uit te doen. 'Dat is onmogelijk! Die rots gaat kaarsrecht omhoog!'

'Mama, we gaan niet klimmen. Aan de andere kant is

het niet zo steil. Daar kun je gewoon lopen en dat is leuk!'

'En hoe weet jij dat dan?'

Tessa graait in haar rugzak en laat het reisgidsje zien. 'Cadeautje van Jennie.'

Ze moeten eerst nog een eindje om de berg lopen. Dan is er een slingerpad omhoog.

Tessa pakt haar reisgidsje weer tevoorschijn en leest voor. 'Deze berg heet Monte Benacantil en is 166 meter hoog. De burcht bovenop is het kasteel van Santa Barbara. Al in de prehistorie woonden er op deze plek mensen, maar de Moren hebben hier in de negende eeuw voor het eerst een vesting gebouwd. Later zijn er steeds meer vestingmuren en verdedigingswerken bij gemaakt.'

De wandeling valt reuze mee. Hoe hoger ze komen, hoe indrukwekkender het uitzicht en daardoor vergeten ze alle andere dingen. Ze zien de haven, de stad en bergen in de verte. Tessa maakt een hele reeks foto's. 'Dit is véél leuker dan door een donkere tunnel en in een donkere lift naar boven gaan.'

'Ik krijg er alleen wel dorst van,' zegt haar moeder.

'Tadá!' Met een trots gebaar haalt Tessa een flesje water uit haar rugzak. 'Ik ben overal op voorbereid!'

'Er zitten dus toch voordelen aan stoere dochters.'

Als ze bijna bovenaan zijn, komen ze op een brede toegangsweg die afgebakend is met muren. En ook al is het wachthuisje bij de burcht nog intact, de toegang kost niets en ze mogen gewoon doorlopen.

Tessa maakt een serie prachtige foto's. Ze snapt dat de Moren deze plek hadden uitgekozen voor een kasteel. Het lijkt wel alsof je vanhier de hele Costa Blanca kunt overzien. Voordat een vijand alleen maar naar boven gekeken had, was hij al door de boogschutters vanaf de hoge muren met een pijl doorboord.

Leefde zij maar in die tijd. Dan was ze alleen liever ridder dan jonkvrouw geweest. En haar paard had natuurlijk als twee druppels water op Donna geleken. Behalve dan dat het niet kreupel was geweest. Ridder Tessa had dan langs de kust over de stranden gegaloppeerd, het paard en zijn berijder met wapperende manen.

'Een middeleeuwse jurk ontbreekt nog aan mijn verzameling!' zegt haar moeder ineens. Tessa lacht. 'Maar in onze winkel komen niet alleen jurken. Daar hoort natuurlijk ook een wapenrusting voor een ridder en een kostuum voor een prins bij.'

'Pepe…'

'Mama, hoe kom je nou op Pepe? Ik had het over een prins!' Tessa slaat van schrik haar hand voor haar mond. 'Je wilt Pepe toch zeker niet vergelijken met een prins? Zo eentje op een wit paard? Jóúw prins? Jak.'

'Nee, uh, ik denk dat het komt doordat je het over een winkel had. Ik wil ons plan eens aan hem voorleggen.'

'Waarom zou je?'

'Omdat het zijn vak is en hij er verstand van heeft.'

Ineens vindt Tessa er niets meer aan boven op de burcht. 'Ik heb honger,' zegt ze. 'Zullen we gaan?'

'Honger?'

'Ja, als ik geweten had dat we maar vijfentwintig euro te besteden hadden, had ik wel op zijn Russisch ontbeten en mijn rugzak volgeladen.'

Omdat ook haar moeder trek gekregen heeft van de klimpartij, besluiten ze op zoek te gaan naar een winkel, waar ze iets kunnen snacken.

Maar eenmaal aan de voet van de berg blijken alle winkels dicht te zijn. Tessa bladert in haar reisgids.

'O, shit,' zegt ze even later. 'Het is siësta. Alle Spanjaarden hebben nu pauze. De winkels zijn van twee tot vijf dicht. Het is nu kwart over twee. Dat duurt dus nog een eeuwigheid.'

Omdat ze niets beters te doen hebben, wandelen Tessa en haar moeder rustig door de straten. Je weet tenslotte maar nooit of er toch geen winkel open is. Langzamerhand staan de huizen steeds verder uit elkaar en lopen ze de stad uit. Het gebied is heuvelachtig en tegen de hellingen staan bomen met oranje en gele vruchten. De boomgaarden staan op vlakke gedeelten die met een muurtje zijn afgezet.

'Dat heet terrasbouw,' leest Tessa voor uit haar gidsje. 'Die hebben de Moren hier in de achtste eeuw aangelegd. Ook hebben ze ervoor gezorgd dat op alle akkers voldoende water kwam. Eerst was het land heel arm. Door de Moren is het een supervruchtbaar gebied geworden. Er groeien hier volop amandelen, nispero's, sinaasappels…'

Tessa en haar moeder stoten elkaar aan. Ze wijzen naar de fruitboomgaarden met de oranje en gele vruchten. Opeens hebben ze het in de gaten.

'Alle Spanjaarden houden siësta, dus die hier wonen ook,' zegt haar moeder.

Tessa knikt. 'Het mag natuurlijk eigenlijk niet…'

'Maar wij zijn in nood.'

'Ja, en ze hebben hier genoeg. Het is toch zo'n vruchtbaar land?'

Tessa en haar moeder lopen naar een boomgaard toe.

Een hond begint te blaffen. Ze besluiten het volgende pad naar een boomgaard dan maar te nemen.

Pas bij het derde weggetje blijft het stil.

'Ik pluk,' zegt haar moeder.

'Om het goede voorbeeld te geven?' vraagt Tessa.

'Nee, als er politie komt, dan pakken ze tenminste mij op en niet jou.'

'En mij hier alleen achterlaten? Mooi niet! Je kunt beter mij laten plukken, want kinderen worden niet opgepakt.'

Haar moeder aarzelt. 'Daar heb jij weer gelijk in. Hup, dan maar. Doe het wel snel.'

Tessa opent haar rugzak en haalt haar verrekijker te voorschijn. 'Jij houdt de wacht. Fluit maar als je iets ziet.'

'Ik kan niet fluiten.'

'Blaffen, miauwen, hinniken of mekkeren mag ook.'

De bomen hangen boordevol sinaasappels. De takken buigen onder het gewicht. Snel plukt Tessa er net zoveel als er in haar rugzak passen. Als ze klaar is, wenkt ze haar moeder.

'Even samen op de foto voor Jennie. Ga maar voor die boom staan.'

Tessa stelt de camera in op zelfontspanner en neemt vlug haar plaatsje naast haar moeder in. Klik doet de camera voor hen.

Klik, klik, horen ze dan achter zich. Ze kijken om, recht in het gezicht van een kleine boer die aan komt lopen. Hij heeft een emmer vol sinaasappels bij zich.

Tessa's hart staat stil. Zou hij gezien hebben dat ze sinaasappels gestolen heeft?

'*Hola guapas, las naranjas son sabrosas, non? Y son también muy jugosas. Queréis probar algunas?*' De boer houdt hun een sinaasappel voor.

'Wij Hollandesi,' zegt Tessa's moeder. 'Wij geen Spaans spreken.'

'Mama, volgens mij vraagt hij of we sinaasappels willen proeven.'

'Denk je? O, in dat geval, *si, si*!'

De boer begint te lachen en houdt zijn emmer uitnodigend bij Tessa's moeder. '*Toma*!'

Ze neemt er eentje. '*Gracias*!'

'*Toma más*!'

'Mama, je moet er meer nemen.'

'Ja, waar moet ik die dan laten? Doe je rugzak eens open.'

'Nee, slimpie!' Tessa schiet vuur met haar ogen. 'Denk even na.'

'Ik weet al iets.' Tot ontsteltenis van de boer trekt haar moeder haar bloesje uit. De opluchting straalt van het gezicht van het mannetje als hij ziet dat ze er een zomers hemdje onder draagt. Van het bloesje knoopt haar moeder een draagtasje en houdt het geopend voor. De boer laadt het tot bovenaan vol.

'Sterke stof,' zegt Tessa. 'Dat die niet scheurt! Zeker synthetisch?'

Ze bedanken de boer zo hartelijk mogelijk en lopen vervolgens richting de stad. Pas als ze de sinaasappelbomen ver achter zich gelaten hebben, ploffen ze neer in de berm en beginnen zenuwachtig en schuldbewust te lachen.

Tessa laat de sinaasappels uit haar rugzak rollen. Haar moeder leegt haar bloesje. 'Aanvalluh!' zegt Tessa, maar dat is eigenlijk overbodig. Haar moeder is al begonnen. 'Jammie! Mama, er klopt niks van dat gestolen goed niet gedijt.'
'Dat zeggen ze toch niet in Goudkust?'

'Nee, dat zegt iedereen behalve Goudkusters. En ik ben een echte Goudkuster, want dit zijn de lekkerste sinaasappels die ik ooit geproefd heb. Goed tegen de honger én de dorst!

Als ze na een tijdje teruglopen naar de boulevard, is de siësta voorbij en zijn alle winkels weer open.
'Weet je, Tessa, we hebben een heerlijke dag gehad en nog niet eens één cent uitgegeven.'
'De dag is toch nog niet voorbij? Ieder de helft?'
Tessa's moeder pakt haar portemonnee. 'Gek is dat. Ik voel me vandaag rijker met vijfentwintig euro dan met al dat prijzengeld.'
'Twaalf vijftig, mam.'

Waar heb ik dat soort verkooppraatjes eerder gehoord?

'Ik heb alle enquêtes en formulieren uitge-werkt,' zegt Pepe. Hij staat de volgende ochtend voor de Goudkusters in een klein zaaltje van het hotel. 'Jullie zijn een bijzon-der clubje! Nog nooit heb ik bij mijn cursus meege-maakt dat voor bijna iedereen hetzelfde advies geldt. Wat dat is? Voor jullie is verstandig beleggen de beste optie om het dollarsyndroom en de overige grootgeld-problemen te lijf te gaan. Je bent dan voor altijd verze-kerd van inkomen, zodat je nooit meer voor een verve-lende baas hoeft te werken. Je geld staat vast en je krijgt elke maand een vast bedrag, net alsof je je loon krijgt.'
Loon? Uitkering zal hij bedoelen! denkt Tessa.
'Het resultaat van een vast inkomen? Je hebt geen last van jaloerse achterburen, verre familieleden in nood, zogenaamde vrienden die bij je willen lenen en andere klaplopers. Je loopt geen risico koopverslaafd te raken of domme dingen met je geld te doen. Je voorkomt kortom alle problemen die het grote geld met zich meebrengt en

plukt er alleen de voordelen van. Hooguit voor oma Spagaat en Mercedes Beng geldt dit advies niet. Oma's geld is bijna op door het zwembad dat ze gebouwd heeft in haar achtertuintje. En Mercedes Beng wordt er gelukkiger van als hij het in de duivensport investeert.'

'Mama, je dóét het niet,' zegt Tessa. Ze gaat voor haar moeder staan en houdt haar bij de schouders vast. 'Je hebt me je erewoord gegeven.'

Haar moeder kijkt de andere kant op. 'Maar Pepe heeft hiervoor geleerd. Hij weet wat goed voor ons is. Ik luister gewoon naar wat hij te vertellen heeft. Ik steek er misschien nog wat van op.'

'We zouden een winkel beginnen!'

'Het een sluit het ander niet uit. Stel dat ik veel winst maak, dan kan het toch altijd nog?'

'Als iedereen nog even stil kan zijn?' vraagt Pepe. Hij laat zijn blik kort op Tessa rusten.

'Maar verstandig beleggen heeft nog een groot voordeel,' vervolgt Pepe. Hij laat zijn stem dalen, alsof hij een groot geheim gaat onthullen. Zelfs de grootste schreeuwlelijkerds uit de buurt worden er stil van.

'Als je het goed doet, wordt je kapitaal vanzelf groter. Afhankelijk van de investering loopt de groei op van veertig tot vierhonderd procent. Ik heb zelfs meegemaakt dat particulieren die gezamenlijk in een project geïnvesteerd hadden tot drieduizend procent winst maakten. Maar ja, dat is natuurlijk een uitzondering.'

Onder de Goudkusters ontstaat opgewonden geroezemoes.

Waar heb ik dat soort verkooppraatjes eerder gehoord? denkt Tessa.

Pepe gaat enthousiast verder. 'Ik ga jullie de komende dagen een spoedcursus beleggen geven. Spanje is een bijzonder goedkoop land, zoals iedereen de afgelopen dagen zelf heeft kunnen ervaren. Dat heeft bijzondere beleggingsprojecten opgeleverd. We starten met een aantal tripjes door de omgeving. Aan de hand van talrijke voorbeelden leg ik jullie alle ins en outs van de kunst van het beleggen uit. Het wordt reuzegezellig, dat beloof ik jullie. We doen vandaag allereerst Guadalest aan. De bussen vertrekken over tien minuten.'

Gelukkig kan Tessa voorin zitten met haar moeder, omdat Pepe in de andere bus zit. Nu heeft ze tenminste goed zicht op de weg. Anders had ze zeker moeten overgeven, zó misselijk is ze nu al van alle haarspeldbochten in de bergen. Maar nu zijn ze er eindelijk. Frisse lucht en vaste grond onder de voeten!

Guadalest ligt hoog in de bergen, maar als Tessa naar boven kijkt ziet ze een Moorse burcht liggen op het allerhoogste topje. Het lijkt wel een adelaarsnest. Was hier vroeger alles van de Moren?

Pepe loopt voorop door de slingerstraatjes van het kleine stadje. Na een tijdje lijkt het alsof ze het stadje achter zich gelaten hebben, maar dan leidt Pepe hen door een toegangspoort die in een rots is uitgehouwen en zo komen ze in een nieuw straatje uit.

'Dadelijk gaan we via het museum naar de burcht op de

top, maar eerst wil ik jullie wat laten zien. Kom mee.'
Ze verzamelen zich bij een plekje naast de stadsmuren.
Daar zijn ook bankjes. Tessa kijkt over de muur heen. Ze
weet meteen dat ze nog nooit zoiets moois gezien heeft.
Daar in de diepte tussen de rotspartijen kronkelt een
groenblauwe rivier die uitmondt in een stuwmeer. Ze
pakt haar verrekijker om het nog beter te kunnen zien.
Daarna maakt ze een paar foto's voor Jennie.

Pepe komt naast haar staan. 'Mooi hè?'

Ze knikt. 'Het is net iets uit *The Lord of the Rings*.'

Pepe draait zich naar de rest van de groep. 'Het uitzicht is hier fascinerend. Dus kom vooral allemaal even kijken en genieten.'

De Goudkusters verdringen zich voor de muren en de verrekijkers die op de muren staan en waar je een euro in moet gooien. De kreten van verrassing zijn niet van de lucht.

'Nu voelen jullie je gelukkig,' spreekt Pepe de groep weer toe. 'Dat komt doordat jullie de schoonheid ervaren van deze prachtige natuur. Het bijzondere van dit geluks-gevoel is dat je er niet aan went. Net als dat je altijd ge-lukkig wordt van lekker actief zijn in plaats van luieren. Of van iets doen voor een ander. Bill Gates is daar een goed voorbeeld van. Toen hij de op twee na rijkste man van de wereld was geworden, is hij gestopt met zijn be-drijf. Hij hield zich daarna alleen bezig met zijn geld uit-geven aan goede doelen. Wil je echt gelukkig worden van geld, dan moet je dus beleggen in iets waardevols. De ondernemers hier hebben dat begrepen. Gezamen-lijk hebben ze deze plek opgeknapt, zodat er elk jaar twee miljoen toeristen van kunnen genieten.'

'We kunnen ook hier een winkel beginnen,' oppert Tes-sa's moeder.

'Mooi niet,' zegt Tessa. 'Wij gaan terug naar Goudkust. En onze winkel wordt veel leuker. Deze souvenirwinkels zijn allemaal hetzelfde. Saai!'

'Met de hele Goudkust voorgoed naar Spanje…'

'Nee, mam, dat is een slecht plan. En dan kun je nooit meer Nederlandse tv kijken.'
'O ja.'

Na een bezoekje aan de burcht op de top dirigeert Pepe iedereen weer de bussen in.
'Waar gaan we nu naartoe?' vraagt Mercedes Beng.
'Richting Dénia,' zegt de chauffeur. Hij draait de bus van de parkeerplaats af en rijdt dezelfde weg door de bergen terug. Tessa verzet zich zoveel ze kan, maar deze keer was er alleen een plaatsje achteraan in de bus en haar maag draait om van alle haarspeldbochten. Naar buiten door het raampje kijken durft ze ook niet goed. De weg is zo smal!
'Ik moet overgeven,' zegt Tessa.
Haar moeder roept Pepe. 'Kunnen we even stoppen? Tessa is misselijk.'
'Kun je het nog vijf minuten volhouden?' vraagt Pepe. Het klinkt alsof hij oprecht bezorgd is. 'We zijn in de buurt van Tárbena. Daar kunnen we mooi even stoppen.'
Kokhalzend stapt Tessa even later bus uit, maar zodra ze buiten in het zonnetje staat, is de wagenziekte over. Raar is dat.
Tárbena lijkt een klein dorpje waar niet veel te beleven is. Wat zou Pepe hun hier dan willen laten zien?
Ze lopen vanaf de parkeerplaats een klein stukje en komen dan uit bij een bergachtig natuurgebied. Ze zijn zo hoog dat Tessa in de verte de wolkenkrabbers van Benidorm kan zien.

'Beste Goudkusters,' zegt Pepe, 'hoe kan het dat Tessa zojuist nog zo misselijk was en zich nu weer kiplekker voelt?'

Er komt geen antwoord.

'Ik zal het jullie zeggen: dit is de plek met de gezondste en zuiverste lucht van heel Spanje. Ook is er hier verderop een geneeskrachtige bron. Patiënten genezen hier spontaan van reuma, astma, vermoeidheid en stress. Grijp je kans en geniet allemaal even van de weldadige energie van Tárbena.'

'Is er dan geen kuuroord hier?' vraagt oma Spagaat. 'Dat zou je toch verwachten.'

'Nee,' antwoordt Pepe. 'Vreemd genoeg is alles hier nog zoals het eeuwen geleden was. De tijd heeft hier stilgestaan.'

'Is een kuuroord dan geen mooie investering?' vraagt Tessa's moeder.

'Mam!' Tessa stoot haar moeder in haar zij. 'Je bent een uitsloofster! Alsof je het slimste meisje van de klas wilt zijn.'

'Een kuuroord!' roept Pepe. 'Ik had het niet beter kunnen bedenken. Dat is een fantastisch beleggingsdoel.'

'Ja, dát gaan we met ons geld doen,' roept oma Madretsma. 'Werken aan de gezondheid, de natuur en…'

'Jullie eigen toekomst!' zegt Pepe.

'Geweldig!' wordt er geroepen.

En: 'Wat een toeval!'

'Dat kuuroord gaat Goudkust heten!'

'Alleen familie betaalt, voor de zieken zelf is het gratis.'

De wildste plannen worden beraamd. De Goudkusters trappelen van ongeduld.

Pepe lacht. 'Jullie hebben al heel wat geleerd van mijn cursus! Maar dit plan lukt alleen als jullie er met zijn allen aan meedoen. Ik zeg maar zo: samen sta je sterk.'

Tessa stoot haar moeder aan. 'Je doet het niet, hoor!'

Haar moeder lijkt haar niet te horen. Ze kijkt met stralende ogen naar Pepe.

'Ik ken toevallig een makelaar hier in de buurt,' zegt Pepe. 'Ik ga hem nu meteen bellen. Ik zeg maar zo: je moet het ijzer smeden als het heet is. Nee, ik bedoel: stel niet uit tot morgen wat je vandaag kunt doen, want van uitstel komt afstel.'

'Hij is zó'n goede coach,' zegt haar moeder tegen Tessa, terwijl Pepe al telefonerend een eindje weg over het bergpad loopt. '*Hay una posibilidad de hacerlo*,' hoort Tessa hem nog zeggen. Ze heeft geen idee wat dat betekent.

Haar moeder kijkt hem met een glimlach na.

Tessa kokhalst. 'Mama, ik voel me toch weer misselijk.'

Bij vakantie denk ik aan lekker luieren

'En tempo maken, Tessa! Ga op de trappers staan en geef alles wat je hebt! Dóórgaan! Je kunt het. Nog even en je bent op de top!' Oma Spagaat moedigt de kinderen luidkeels aan in de fitnessruimte van hotel Picasso. Ze komt met haar stem maar net boven de beat van de muziek uit. Zoals ze eruitziet in haar legging met een sportief hemdje en op stoere sportschoenen, zou je haar geen 86 jaar geven.

Deze avond staat er spinning op het programma. Spinning is zoiets als keihard fietsen zonder ook maar één centimeter vooruit te komen. Doordat je de weerstand op de fiets kunt regelen, maak je zogenaamd sprints, klim je tegen heuvels op of fiets je over een vlakke weg.

Dóódmoe wordt Tessa ervan. Ze snapt niet dat oma Spagaat zelf zo fanatiek mee kan doen. Waar haalt ze de energie vandaan? Ze kijkt naar Amba. Ook bij haar lopen de zweetdruppeltjes langs haar gezicht als bij een

chocolade-ijsje in de zon. En dat ondanks de airco. Ze puft net als Tessa als een stoomlocomotief.

'Bij vakantie denk ik aan lekker luieren – aaah pffft – en uitrusten,' hijgt Tessa. 'Terwijl je languit aan zee – aaah pffft – of bij het zwembad in je strandstoel ligt, komt – aaah pffft – een ober je een zomers gekleurd drankje brengen.'

'Ja,' hijgt Amba, 'zo'n echt lekker ding – aaah pffft – die zich dan naar je overbuigt en – aaah pffft – vraagt of hij nog iets voor je kan doen.'

'Nee!' roept Tessa zo hard dat oma Spagaat minstens moet denken dat ze een blessure heeft. 'Geen lekker ding – aaah pffft – doe mij maar zonder!'

'O ja, ik moet je nog iets vertellen – aaah pffft – over Pepe…'

'Nee, hè!' roept Tessa, 'Als we het over een lekker ding hebben – aaah pffft – begin jij over Pepe – aaah pffft – Je lijkt mijn moeder wel.'

'Gaat het wel goed met je?' vraagt oma Spagaat bezorgd. 'Je mag wel stoppen, hoor.'

'Graag!' zegt Tessa. Ze springt van haar fiets.

'Dan ik ook,' zegt Amba en volgt Tessa's voorbeeld.

'Vergeet de rek- en strekoefeningen niet,' zegt oma. 'Anders krijg je spierpijn.'

Tessa lacht. 'Die spierpijn krijg ik toch wel.' Maar desondanks doen de meiden braaf de coolingdown. Daarna ploffen ze neer bij de fruitbar en bestellen elk een glas versgeperst sinaasappelsap.

'Vertel,' zegt Tessa.

'Wat?'

'Nou, over Pepe.'

'O ja!' Amba gaat rechtop zitten. 'Ik kon mijn oren niet geloven vanmiddag.'

'Wat is er dan? Vertel! Nu!'

'We stopten in Tárbena,' zegt Amba. 'Weet je nog?'

Tessa knikt. 'Ja, ik was zó misselijk van dat rijden in de bergen.'

'Nou, ik was ook blij dat we stopten. Ik moest zo ongelooflijk nodig plassen. Dus toen we daar buiten het dorpje waren, heb ik snel een veilig plekje achter de struiken gezocht. Ik wilde juist mijn broek optrekken, toen Pepe eraan kwam. Hij was druk aan het bellen. Ik durfde niet te gaan staan, want dan zou hij me zien. Dus bleef ik maar stilletjes gehurkt zitten.'

Tessa's grinnikt. 'Gelukkig stinkt een plasje niet.'

'Ja, anders had hij me misschien wel geroken! Maar goed. Pepe was met iemand aan het bellen in het Spaans.'

'Ja, hij kende een makelaar.'

'In elk geval had hij een soort zakenmannetje aan de telefoon. De goudvisjes happen toe, zei hij. En toen begon hij te onderhandelen over hoeveel procent van de winst voor hem was. Hij eiste tachtig procent omdat hij zo veel tijd en energie had moeten investeren in die hele busreis. Uiteindelijk is hij akkoord gegaan met vijftig procent. Fifty fifty dus. Hij heeft morgenmiddag om twee uur een afspraak in restaurant Casa Pinet in Tárbena.'

Tessa's mond valt open. 'Zie je nou wel! Ik heb die Pepe nooit gemogen. Dus hij is ons echt aan het besodemieteren! Kom op, we gaan het de anderen vertellen.'

Ze springt omhoog, maar Amba houdt haar tegen. 'En jij denkt dat ze je zomaar geloven? Al die Goudkusters lijken stuk voor stuk gehypnotiseerd door Pepe. Hij is hun god. Ze doen alles wat hij zegt.'

'O, ik dacht dat alleen mijn moeder daar last van had.'

'Laat naar je kijken. Joh, ze hebben betaald voor deze cursus en verwachten van Pepe dat hij hun problemen oplost.'

Tessa en Amba kijken elkaar aan. Ze hoeven niks te zeggen. Ze weten het zo ook wel. Ze moeten bewijs hebben. Ze móéten gaan spioneren en erachter komen wat Pepe van plan is.

'Wat staat er morgen op het programma?' vraagt Tessa. Amba haalt haar schouders op. 'Geen idee.'

Tessa staat op en loopt naar oma Spagaat die verderop nog druk bezig is met de work-out. 'Weet u wat we morgen gaan doen?'

'En, geef alles voor de laatste sprint. Ja, Xander, geweldig! Dóórgaan, Yara. Je bent er bijna! Huh, wat zeg je, Tessa?'

'Wat gaan we morgen doen? Weet u dat?'

'Ja, stoppen jullie maar. Het is mooi geweest. Morgen? Uh, er staan twee excursies gepland. Eentje naar Elche. Daar is het grootste palmenbos van Europa. De andere is naar Valencia. Omdat hij zelf verhinderd is, heeft Pepe gidsen ingehuurd om ons rond te leiden langs voorbeeldprojecten. Hij vindt het niet goed als de buurt over één nacht ijs gaat. We moeten ons oriënteren, zegt hij. Overmorgen is er een bijeenkomst met de makelaar.'

'Mag je zelf kiezen met welke excursie je meegaat?' vraagt Amba.

'Lijkt me wel,' zegt oma Spagaat. 'Ik ga naar het palmen-bos.'

'Xander, Yara,' roept Tessa, 'komen jullie even naar de fruitbar?'

Hebben wij een plan dan?

'Heb je een plastic tasje?' vraagt Amba aan Tessa. 'Voor als je weer misselijk wordt.'

Het is de volgende ochtend en ze zijn zojuist in de bus naar Tárbena gestapt.

Tessa lacht met een scheef opgetrokken mondhoek. 'Ik had liever een tabletje tegen wagenziekte gehad, maar ik heb plastic zakjes in mijn rugzak.'

'Ben je misselijk? Wil je graag een tabletje tegen reisziekte?' vraagt een mevrouw met een als een verschrompelde aardappel gerimpeld, zongebruind gezicht achter hen in het Nederlands. 'Ik heb er wel eentje voor je, hoor.'

'Bedankt,' zegt Tessa, 'maar ik mag van mijn moeder geen pilletjes van vreemden aannemen.'

'Ook niet van bekenden,' zegt Amba.

'En mogen jullie wel alleen met de bus van je moeder?' vraagt de aardappel.

'Zien wij eruit alsof we stiekem met de bus gaan?' vraagt Tessa. Ze kijkt zo onschuldig als ze maar kan. 'Wij gaan bij onze oom Pepe op bezoek.'

De aardappel is blijkbaar op haar teentjes getrapt. Ze staat demonstratief op en gaat een paar stoelen verderop zitten.

'Opgeruimd staat netjes,' zegt Amba. 'Ze zat ons gewoon af te luisteren. Straks mislukt ons plan nog.'

'Hebben wij een plan dan? Behalve dat mijn moeder denkt dat ik met jouw familie naar Elche ben en dat

jouw moeder denkt dat jij met ons mee bent naar Valencia.'

'Vergeet onze spionnen Yara en Xander niet. Zonder hen mislukt onze missie zeker. Zij moeten ons de leuke details van de excursies sms'en.'

'Ja, maar verder?' vraagt Tessa zich hardop af. 'Het is maar afwachten of we iets te weten komen. Als we in elk geval de bus terug maar halen. Hoe laat ging die ook alweer?'

'Om kwart over zes. We zijn dan om zeven uur in Benidorm. Ruim op tijd. Ze zijn echt niet voor tien uur thuis.'

'Ik voel me niet lekker,' zegt Tessa. Ze zijn juist Callosa gepasseerd – de aardappel is daar gelukkig uitgestapt – en zijn de weg met haarspeldbochten weer op gedraaid. Amba kijkt bedenkelijk. 'Je moet gewoon goed recht vooruit kijken, naar de horizon en als je dan toch nog moet overgeven graag in een zakje. Haal het maar vast tevoorschijn!'

Het is kwart over elf als ze aankomen in Tárbena. Bleek en misselijk stapt Tessa uit de bus, maar ze heeft het volgehouden zonder over te geven! De frisse lucht doet haar meteen weer goed.

'Jammer dat er maar één bus per dag gaat,' zegt Amba. 'Het duurt nog bijna drie uur voor Pepe zijn afspraak heeft.'

'We vervelen ons vast niet, hoor,' zegt Tessa. 'We gaan eerst maar eens op zoek naar dat restaurant. Hoe heette dat ook alweer?'

'Casa Pinet. En het is die kant op volgens dat bordje.'

Twee minuten later hebben ze het restaurantje gevonden. Het is een eenvoudig tentje met een klein terrasje aan de straat. Ze gluren naar binnen.

'De baas is een communist,' zegt Amba.

'Hoe weet je dat?'

'Dat staat op de muren geschreven. Het lijkt wel een communistisch museum. Er hangt ook een foto van Che Guevara en dat was een guerrillastrijder.'

'Hoe weet je dat?'

'Dat staat erbij, in het Spaans.'

Tessa grinnikt. 'De Russen waren toch ook communistisch? Als het er in dit restaurant net zo aan toe gaat als in ons hotel zal er niet veel te eten zijn.'

De meiden staren door het raam van het restaurant.

'Het lukt ons nooit om Pepe stiekem af te luisteren,' zegt Tessa. 'Hij ként ons. Zelfs als we ons zouden verkleden, vallen we op aan een tafeltje, omdat we kinderen zijn.'

'Ja, en Antilliaanse kinderen zie je hier al helemaal niet. Ik heb wel Bolivianen in de sinaasappelplantages zien werken.'

De moed zakt Tessa in de schoenen. Dan hoort ze achter zich iemand iets in het Spaans zeggen. '*Que tal?*'

Tessa en Amba draaien zich om. Op de stoep staat een man met een krat boodschappen. Amba antwoordt hem in het Spaans. De man vraagt nog wat. Hij kijkt heel verbaasd. Dan begint Amba een heel verhaal af te steken. Tessa begrijpt er niets van. De man wel. Die knikt af en toe, vraagt het een en ander en begint ten slotte te lachen. '*Muy bien!*'

'Mag ik ook weten wat er te lachen valt?' vraagt Tessa.

Amba en de man geven elkaar een high five. 'Het wordt zó lachen!' zegt Amba.

'Volgens mij lachen jullie nu al.'

'En het wordt nog veel leuker!' gilt Amba. 'Deze man is signor Pablo. Hij is de eigenaar van het restaurant. Toen hij vroeg wat we hier deden, heb ik hem gewoon de waarheid verteld. Over Goudkust, de Straatnamenloterij, de geldwolven, ons reisje en Pepe. Ik heb hem uitgelegd dat we zijn cursus niet zo vertrouwen en hem al helemaal niet meer sinds ik zijn telefoongesprek toevallig hoorde. Signor Pablo is het met ons eens dat er iets niet in de haak is. Hij háát kapitalisten en grote graaiers en wil niks liever dan ons helpen om hem te ontmaskeren. Hij zegt dat hij nog afluisterapparatuur uit de Koude Oorlog heeft in zijn museum.' Amba maakt een vette knipoog.

'Wow!' roept Tessa. 'Onder zijn tafeltje!'

'Of in het olie- en azijnstelletje.'

'Of onder het broodmandje.'

'Of in een stuk brood.'

'Ja, en als hij dat dan opeet, horen we voor altijd wat hij zegt.'

'Hihihi,' gaat Amba verder. 'Hij krijgt een tafeltje vlak bij de bar. Wij zijn vlak daarachter, maar hij kan ons niet zien. De bar is te hoog. Signor Pablo heeft trouwens wel een voorwaarde.'

'En die is?'

'We moeten meehelpen in de keuken.'

'Gaaf!' roept Tessa. 'Leren we dan echt Spaans koken?'

'Misschien moeten we wel afwassen…'

'Hmmm,' zegt Tessa, 'dat is minder. Maar ja, alles voor het goede doel.'

Amba en Tessa krijgen allebei een schort en een wit mutsje.

'Best een goede vermomming,' zegt Tessa met een grijns. 'Al zou Pepe ons straks per ongeluk zo zien, dan is er nog niks aan de hand. We zijn onherkenbaar. En bovendien zijn de mensen hier hartstikke klein. Wij vallen niet op tussen de volwassenen.'

Hun eerste taak is groenten wassen en snijden voor de Valenciaanse salade. Het is een leuk werkje en Tessa is behoorlijk trots als de bakken klaar staan met tomaten, komkommer, sla en bosui. Hun volgende taak is om knoflookbollen te pellen totdat er nog maar één vliesje over is. Die bollen worden geroosterd in de oven totdat de knoflook zacht als boter is. De gasten krijgen straks vooraf rauwe tuinbonen, die ze zelf moeten doppen, gepofte knoflook, geroosterd brood met olijfolie en stokvis oftewel *bacalao*, zoals Amba voor Tessa vertaalt.

'Rauwe tuinbonen en héle knoflookbollen?' Tessa griezelt ervan.

'Volgens signor Pablo is dat hartstikke lekker én gezond.'

'Misschien moeten we de twee oma's hier maar eens naartoe sturen dan,' zegt Tessa.

Amba knipoogt. 'Als ze dat kuuroord gaan kopen…'

Ze krijgt een stomp terug als antwoord.

Om halftwee dekt een serveerster de tafels. Signor Pablo heeft een microfoontje onder het tafelblad bevestigd waar Pepe komt te zitten. De apparatuur is ook aangesloten op de iPod van Tessa. Maar waarschijnlijk kunnen ze hem vanachter de hoge bar ook zo wel horen.

Als de eerste gasten binnenkomen, bonkt Tessa's hart van de zenuwen. Zullen ze het bewijs in handen krijgen dat Pepe een oplichter is? Ze hoopt het zo. Ze wil een moeder zónder Pepe en mét feestwinkel.

'Daar is hij!' roept Tessa.

'Ssst,' zegt Amba. 'Niks zeggen, kletskous. Houd je mond!'

Ze zien dat de serveerster Pepe naar zijn tafeltje brengt. Hij bestelt een glas wijn. Even later schuift er een andere man bij hem aan tafel. Strak in pak, met glad achterovergekamd haar en een zonnebril op.

Be-be-bewijs? Be-be-bewijs dat maar eens

'Staat alles klaar?' vraagt Tessa aan Amba. Het lijkt wel alsof er springveren onder haar voeten zitten, zo zenuwachtig schiet ze van links naar rechts en van voor naar achteren door het zaaltje van het hotel.

Amba lacht. 'Ja, relax. De bijeenkomst met de makelaar begint pas over een halfuur. Rizard heeft je iPod aangesloten op de geluidsinstallatie. We hoeven alleen maar op 'play' te drukken.'

'Zullen we Mercedes Beng en Sjaak Spetter vast vertellen wat er aan de hand is?' vraagt Tessa.

'Nee, dan lekt het misschien uit. Stop nou maar met hyperen. We gaan nog lekker even relaxen in het restaurant.'

'Maar we hebben al ontbeten!'

Amba likt haar lippen af. 'Churos met chocolademelk gaan er altijd in.'

'Pas maar op dat de oma's het niet zien!'

Als Tessa en Amba weer terugkeren naar het zaaltje, lopen de eerste Goudkusters net naar binnen. Pepe en de makelaar zijn ook al gearriveerd. Ze zitten aan een tafeltje vooraan in het zaaltje.

De meiden zoeken een plekje op de eerste rij. Ze moeten snel kunnen optreden in geval van nood.

'Beste Goudkusters,' zegt Pepe in de microfoon als iedereen zit. 'Mag ik jullie voorstellen aan signor Carlos Manchego? Signor Manchego heeft volop grond te koop in Tárbena. Als iemand de brochures wil uitdelen?'

Tessa vliegt naar voren, nieuwsgierig als ze is.

Pepe kijkt haar bevreemd aan. 'Jij vindt het zo te zien ook een goed plan.'

De brochure ziet er gelikt uit, net zo gelikt als de makelaar die net als gisteren strak in pak is, met zijn haar glad achterovergekamd en zijn zonnebril op.

'Het is een unieke kans voor jullie,' steekt Pepe van wal. 'In grond beleggen is sowieso een veilige investering. Overal groeit de bevolking en het klimaat hier trekt veel mensen. In *no time* zullen jullie torenhoge winsten maken. Daarnaast is het in Spanje goed bouwen. De grondprijzen en de bouwkosten zijn laag en je hebt hier niet al die vergunningen nodig zoals bij ons thuis.'

'Alsof wij ons daar iets van aantrekken,' roept Sjaak Spetter.

Pepe doet alsof hij dat niet gehoord heeft. 'Maar vooral hebben jullie een unieke kans doordat juist gisteren voor het eerst de grond van signor Manchego is vrijgekomen voor nieuwe bouwactiviteiten. Tot gisteren had de overheid nog een optie op het perceel. Die wilde er een school bouwen. Signor Manchego wil jullie als eerste de grond aanbieden. Natuurlijk op voorspraak van mij. Grijp je kans, Goudkusters, de grond is spotgoedkoop, slechts duizend euro per vierkante meter. Ik zeg maar zo: van uitstel komt afstel.'

'Precies!' zegt Tessa. Ze schiet omhoog op en sleurt Amba aan haar arm mee naar voren. 'Precies! En voor het daarom te laat is, willen Amba en ik jullie iets vertellen. Maar eerst wil ik vragen of Sjaak Spetter en Mercedes Beng bij de deuren van dit zaaltje de wacht willen houden. De kans bestaat dat Pepe en signor Manchego er zo meteen het liefst direct vandoor willen gaan. En dat is niet de bedoeling.'

Sjaak en Mercedes kijken een beetje raar op, maar doen dan toch wat Tessa vraagt. Ze kénnen haar. Onder de Goudkusters ontstaat geroezemoes. Pepe is al wat bleekjes weggetrokken. 'Kom, kinderen, verstoren jullie deze bijeenkomst nou niet.'

'O jawel,' zegt Amba.

'Echt wel!' zegt Tessa. Ze wijst naar Pepe, terwijl ze stap voor stap dichterbij komt. 'Wij hebben bewijs dat jij ons wilt oplichten.'

'Be-be-bewijs? Be-be-bewijs dat maar eens.'

'Ja, dat is nou net wat we gaan doen. Gistermiddag heb jij met die Manchego besproken hoe jullie ons kunnen tillen. Amba en ik waren erbij.'

'Waar hebben jullie het over? Dat is niet waar!' roept Pepe.

'O jawel,' zegt Amba.

'Echt wel!' zegt Tessa. 'Wij hebben jullie gesprek opge-
nomen. Dat gesprek was in het Spaans, maar gelukkig
spreekt de familie van Amba óók Spaans. Wil oma Madretsma naar voren komen? Dan kan zij vertalen wat we
zo te horen krijgen.'

'Ik moet, uh, ik moet even naar de wc,' piept Pepe.

'Mooi niet!' roept Tessa. 'Hier blijven jij.'

Mercedes Beng en Sjaak Spetter stropen hun mouwen

alvast op. De grijns op hun gezicht belooft niet veel goeds voor Pepe en Manchego.

'Nu even stil zijn,' roept Tessa. 'Ik ga de opname starten. Er komt telkens een kort stukje, dan kan oma Madretsma dat gemakkelijk vertalen. Komt-ie.'

'*Gracias*!' klinkt het uit de geluidsboxen. '*Dos menu del dia, por favor.*'

'Dat ben jij, Dinero!' roept Sjaak Spetter. 'Ik versta er niks van, maar jij bent het!'

'Ssst!' klinkt het van alle kanten.

Pepe steekt een heel verhaal af. Zo nu en dan wordt hij onderbroken door Manchego. Dan zet Tessa de opname op pauze. 'Vertel maar eens wat die mannen hier aan het bespreken zijn, oma.'

Oma Madretsma staat met haar hand voor haar mond. 'Pepe, wij vertrouwden jou!' brengt ze ten slotte uit. 'Je bent een bedrieger! Je bent geen haar beter dan al die andere geldwolven.'

'Vertálen!' klinkt het uit de zaal. Maar van vertalen komt niks. De oma van Amba loopt naar Pepe en Manchego met haar handen in haar zij. Nou ja, waar ooit haar zij gezeten heeft. Ze ziet eruit alsof ze Pepe wil aanvallen. Oma Spagaat rent naar haar toe om haar tegen te houden. Tessa kijkt naar moeder. Die heeft ook donkere wolken boven haar hoofd hangen. Goed zo, denkt Tessa. De roze wolk is een onweersbui geworden.

Tessa tikt op de microfoon. 'Oma Madretsma is er een beetje overstuur van. Nou, wij ook! Ik zal jullie uitleggen wat er aan de hand is. De grond die Pepe jullie wil aansmeren voor duizend euro per vierkante meter is geen cent waard! Naast het terrein komt een vuilverbrandingsinstallatie en een vuilnisbelt. Niet echt een aantrekkelijke plek om een kuuroord te beginnen, toch?' Tessa laat even een stilte vallen om de spanning te vergroten. 'Pepe en Manchego hebben samen een deal gemaakt over de winst: ieder de helft.'

Sommige Goudkusters beginnen te schreeuwen, anderen lopen naar voren. Ook Tessa's moeder. 'Jij! Dus ook jij bent een grote graaier! Bah! Geniepige valse-praatjesverkoper die je bent. Gespecialiseerd in prijswinnaars. Niet materialistisch. Wie goed doet, goed ontmoet. Wat een geldwolf ben jij! Maar gelukkig was ik toch niet van plan mee te doen.'

O, denkt Tessa.

'Mijn slimme dochter en ik hadden allang een veel leuker plan dan een kuuroord in Spanje beginnen,' zegt Tessa's moeder terwijl ze haar kin de lucht in steekt.

'Bianca, toe!' zegt Pepe. 'Help me liever voor ze hier gehaktballetjes van me maken.'

Amba likt haar lippen af. 'Jammie, *albondigas…*'

Maar inderdaad staat er ondertussen een kring woedende Goudkusters om Pepe en Carlos Manchego heen.

'Afmaken.'

'Onderdompelen in de Middellandse Zee.'

'Wat een valse rotpraatjes heeft hij ons verkocht!'

'Eén blauw oog is toch niet zo erg?'

'Jawel, je geeft er twee of je doet het niet.'

Oma Madretsma roept Sjaak Spetter en Mercedes Beng.

'Die twee hebben echt geen kans om te ontsnappen, maar een beetje bescherming moeten jullie ze wel geven. Anders eindigt Goudkust straks nog in een Spaanse gevangenis.'

'Goed gesproken, vriendin,' zegt Oma Spagaat. 'Ik ben de oudste hier. Jullie stamhoofd. Tessa en Amba hebben het tot nu toe zo slim aangepakt. Dat gaan we niet even in vijf minuten verpesten. Iedereen gaat nu zitten. Ook Pepe en Manchego. Sjaak en Mercedes houden de wacht bij de deuren.'

Oma Madretsma loopt naar oma Spagaat en fluistert iets in haar oor.

Oma Spagaat knikt en neemt de microfoon. 'Voor we dit zaakje gaan afhandelen, is het nu eerst tijd om twee heldinnen te huldigen. Tessa en Amba, gaan jullie eens staan!'

Het applaus en gejoel is oorverdovend en het duurt even voor de rust is weergekeerd. Tessa en Amba stralen als diamantjes.

'Bedankt, meiden,' zegt oma Spagaat. 'Jullie hebben ons allemaal gered van een grote misstap. Jullie zijn geweldig!'

Weer barst er een luid applaus los. Alleen Pepe en signor Manchego klappen niet mee. Die kijken of ze samen een citroenboom hebben leeggegeten.

Dan tikt oma Spagaat op de microfoon. 'Nu gaan we beslissen wat we met deze heren doen. Ik heb een voorstel. Signor Manchego leveren we uit aan de politie. We hebben bewijs genoeg van zijn frauduleuze handel. Voor

Pepe heb ik een ander plannetje. Hij mag kiezen tussen de politie of het hotel betalen. Zeker weten dat hij dan in één klap net zo failliet is als die kakfamilie bij ons thuis in de straat.'

'Goed gesproken, oma!' roept Mercedes Beng.

'Slim!' roept oma Madretsma.

'Ja, doen!' gillen Tessa en Amba.

Alleen Pepe kijkt niet echt enthousiast. Toch kiest hij ervoor om alle hotelkosten betalen.

'Rizard is vast zo vriendelijk om de rekening op te maken,' gaat oma Spagaat verder. 'We zijn er dan allemaal getuige van als Pepe zijn handtekening zet.'

'Weet je wat jij nodig hebt?' zegt Sjaak Spetter tegen hem. 'Een cursus *Gelukkig worden zonder ene rooie cent*!'

Saloete de groeten

'Hier is nog een plekje,' zegt Tessa. Ze doopt haar kwast in de goudverf en verft één voor één vrolijke zonnetjes op de wieldoppen van de bussen. Nu is het echt klaar. GOUDKUST BUURT- EN VAKANTIEBUS staat er met grote letters op de ene bus geschilderd en GOUDKUST VAKANTIE- EN BUURTBUS op de andere. Er is geen vierkante centimeter onversierd gebleven. Vrolijkere bussen om mee naar huis te reizen bestaan gewoonweg niet!

Het was de beste investering die de Goudkusters hadden kunnen bedenken: twee bussen met chauffeur kopen. Ideetje van haar moeder! denkt Tessa trots. De bussen worden thuis ingezet als boodschappenservice en voor korte en lange ritjes. Goed voor de saamhorigheid, want ook de andere buurtbewoners thuis mogen erin meerijden. Goed voor de parkeerproblemen, want nu kunnen er thuis heel wat auto's weggedaan worden. En goed voor de geldproblemen, want zo raakt het grote geld lekker snel op. Wat? De meeste Goudkusters zijn onder-

tussen al een heel eind door hun geld heen. Maar Tessa
heeft haar moeder laten zweren dat ze genoeg geld zou
bewaren voor hun feestwinkel.

'Heeft iedereen alles?' roept Mercedes Beng. 'Ja? Rijden
dan maar!'
'*Adios*!' zegt Amba.
'Saloete de groeten,' roept Tessa. Zij zit met Amba voor
in de bus. Achter haar zit haar moeder naast Mercedes
Beng. Hij is gelukkig haar moeders type niet. Ze heeft

Tessa met haar hand op haar hart beloofd voorlopig niet meer verliefd te worden, maar Tessa heeft zo haar twijfels.

'Gaan we niet richting Valencia?' vraagt Tessa, als ze ziet dat de bussen bij de rotonde richting Callosa gaan.

'Ik moet mijn jurk nog ophalen,' zegt haar moeder. 'En daarna is er nog een verrassing.'

Na twintig minuten stoppen de bussen bij de kleermaker en weer vijf minuten later komt Tessa's moeder naar buiten met een pioenrode jurk over haar armen.

'Aantrekken!' en 'Laten zien!' klinkt het van alle kanten. Tessa's moeder twijfelt, draait zich dan om en loopt het naaiatelier weer in. Tessa is benieuwd. Zou haar moeder het echt doen?

En ja, hoor! Als ze niet gespannen naar de deur van het atelier had gekeken, had ze het wel aan het applaus gehoord. Haar moeder komt naar buiten als een Spaanse schone. Tessa gloeit van trots.

'Deze jurk doe ik voortaan altijd aan in onze winkel,' zegt ze tegen Tessa als ze de bus in stapt.

De bussen trekken weer op.

'Nee, hè,' roept Tessa, 'niet wéér!'

Maar ja, hoor. De bus is begonnen aan de tocht door de bergen. De ene haarspeldbocht volgt op de andere en Tessa ziet bleker en bleker. Ze draait zich achterstevoren op haar knieën naar haar moeder toe. 'Waar gaan we naartoe, mam?'

'Wacht maar af.'

'Ik moet overgeven.'

'Niet over mijn jurk! Ga goed zitten en pak een plastic zakje.'

Net als Tessa het niet meer binnen dreigt te kunnen houden, stopt de bus. Meteen herkent Tessa Tárbena. En zoals steeds is de misselijkheid verdwenen, zodra ze uitgestapt is.

'Gaan we naar Casa Pinet?' vraagt ze.

Maar het is een overbodige vraag, want signor Pablo komt al aangelopen en wenkt hen hem te volgen. Hoe moeten ze twee bussen Goudkusters in hemelsnaam in dat kleine restaurant krijgen, denkt Tessa? In de benedenruimte?

Maar zodra ze het straatje in lopen, weet ze dat dát geen probleem is. Midden op de straat is een heel lange eettafel gemaakt, waar iedereen kan aanschuiven. Iedereen, behalve Tessa en Amba. Zij krijgen hun schorten weer voor en mutsjes op en moeten meehelpen in de bediening.

'*Compañeros*,' zegt signor Pablo, als het voorgerecht is opgediend. '*Bienvenido*.'

Oma Madretsma komt erbij staan. 'Signor Pablo noemt ons kameraden en heet ons welkom.'

Signor Pablo gaat door in het Spaans, maar telkens legt oma Madretsma uit wat hij verteld heeft. 'Signor Pablo zegt dat niet alleen hij maar de hele provincie blij is dat Carlos Manchego door de mand gevallen is. Hij is opgepakt en uit huiszoeking is gebleken dat dit niet de eerste keer is dat hij met vuile zaakjes bezig was. P.P. Dinero leverde hem regelmatig naïeve, nieuwe rijke klanten aan.'

'Naïef?' roept Mercedes Beng. Tessa's moeder legt haar vinger op zijn lippen. Wonder boven wonder doet Mercedes er onmiddellijk het zwijgen toe.
'Wat Pepe niet weet, is dat het heel moeilijk geweest zou zijn om hem hier in Spanje op te pakken,' gaat oma Madretsma verder. 'Er was te weinig bewijs. Gelukkig hebben we hem de vetste rekening van zijn leven laten betalen. Maar als hij ooit weer één voet in Nederland zet,

wordt hij meteen achter de tralies gegooid vanwege al zijn schulden.'

Meestal hebben de Goudkusters wel medelijden met mensen die de bak in moeten. Sommige Goudkusters zijn zelf niet even goede vrienden met de politie. Nu stijgt er een gejoel op dat tot ver buiten het dorp te horen moet zijn.

'Laatste mededeling,' zegt Amba dan. 'Het voorgerecht is *albondigas de Pepe*. Dat wil zeggen: gehaktballetjes van Pepe.'

Dan staat Mercedes Beng op. 'Nee, de allerlaatste mededeling is deze. Geniet van de maaltijd. We rijden straks in een ruk door naar huis. We maken alleen korte stops voor hoge nood. Morgenavond zijn we thuis!'

Neemt u ons in het ootje?

'Daar heb je de kakkers!' roept Amba.

Tessa kijkt om en ja, hoor! Het is haar buurmeisje Jennie gelukt haar moeder over te halen. Honger en geldgebrek maken van een gratis barbecue, al is die in een volksbuurt, een feestbanket. De Goudkusters zijn alweer een week thuis en vanavond wordt het zwembad van oma Spagaat geopend tijdens Gouddorst, het jaarlijkse buurtfeest. Voor de kakkers hebben de Goudkusters een leuk plannetje bedacht.

'Ze doen het!' roept iemand.

'Wat mij betreft zijn ze nu al geslaagd.'

Tessa is dichter bij de barones gaan staan om niets te hoeven missen. Vergeleken met haar is een ijspegel niets.

'Geslaegd?'

O, o, mevrouw Wittebrood stapt op de kakkers af. Tessa heeft de neiging te kijken of ze een staart heeft, zo muizig ziet ze eruit.

'Ik ben Dorine Wittebrood. Wat sportief dat u ons Goudkust-inburgeringsexamen komt afleggen.'

'In-beur-ge-rings-exae-men?' De barones stoot het woord in brokjes uit haar mond. 'Neemt u ons in het ootje?'

'Nee, nee,' mevrouw Wittebrood bloost ervan. 'Weet u daar dan niets van? Is het voor u een surprise?'

'Kom op, Dorrie, doe alsjeblieft normaal en slijm niet zo.' Sjaak Spetter dringt zich naar voren. 'Mensen van adel gaan ook gewoon naar de wc, hoor.' Iemand doet het geluid van een scheet na. Er klinkt gelach.

'Beste mensen,' gaat Sjaak verder tegen de kakkers, 'het zit zo. Jullie wonen hier nu een tijdje. Hier geldt de wet: als je niet voor ons bent, dan ben je tegen ons. Jullie hebben ons tot nu toe met de nek aangekeken, vooral mevrouw de barones daar. Jullie hebben er geen reden voor, want jullie hebben zeker niet meer geld dan wij en ook geen betere manieren. Jullie gedragen je echt aso. Maar we willen jullie nog één kans geven. Jullie moeten een test doen. Slagen jullie, dan hebben jullie van ons geen last. Zakken jullie, dan merken jullie het vanzelf. Daarover kan ik beter mijn mond houden. Dan worden wij aso. Maar goed, jullie moeten daar zitten. Er mag niet één antwoord fout zijn.'

Ter hoogte van het huis van Mercedes Beng is een podium ingericht, ook voor de karaokewedstrijd straks. Sjaak Spetter dirigeert ze ernaartoe. En daar staan de kakkers even later te kijk voor de hele buurt.

'Let goed op,' zegt Sjaak Spetter. 'Jullie krijgen drie vragen. Die moeten jullie alle drie goed beantwoorden. Hier komt de eerste. Noem twee andere woorden voor politie.'

'Ahum, gendarmerie en…' begint de barones.

Maar Jennies vader trekt de microfoon uit haar handen. 'Wout en smeris.'

'Hoe weet jij dat?' vraagt de barones. Een antwoord hoeft haar man niet te geven, want het is tijd voor de smaaktest. Robbie komt naar voren met een schaal vol bittergarnituur.

'Proeven!' zegt iemand.

De barones neemt een heel beschaafd hapje. '*Noissette de porc aux...*'

'Nee, wat zij zegt, telt niet,' roept Jennie snel. 'Het zijn vlammetjes.'

Dan komt Sjaak Spetter met de laatste vraag. 'Uit welke windrichting komen hier de meeste mensen?'

Tessa ziet Jennie naar het publiek kijken. 'Uit alle windrichtingen. Het is hier goed verdeeld.'

Er wordt geklapt. Tessa haalt opgelucht adem. Dat probleem is ook opgelost.

De barones wil al weggaan. Die is natuurlijk blij dat het erop zit. Maar daar vergist ze zich in.

'Ho, ho,' zegt Sjaak, 'ons straatfeest heet niet voor niets Gouddorst. Willen jullie echt slagen dan moeten jullie proosten met alle mensen uit de buurt.' Hij drukt Jennies ouders allebei een glas bier in handen.

Tessa ziet de barones vol afgrijzen kijken. Bier! Maar ze kunnen er niet onderuit. Met iedereen moeten ze het glas heffen en dus een slok nemen. Maar al zijn de slokjes van de barones nog zo klein, haar eerste glas bier is zo leeg. Het tweede ook en het derde nog sneller.

Jennies moeder krijgt rode koontjes en giechelt. Haar vader moet haar af en toe ondersteunen en haar zelfs tegenhouden als ze Sjaak Spetter wil zoenen, maar ze hóúdt vol.

Eindelijk heeft het laatste 'proost' geklonken.

Dan pakt oma Spagaat de microfoon. 'Beste Goudkusters, wat een heerlijk feest is het weer. Tegen Goudkust kan de Costa Blanca echt niet op. En om te kunnen zwemmen hoeven we zo'n eind ook niet te rijden. Dat geldt tenminste voor de kinderen uit onze buurt. Die zijn doordeweeks na schooltijd welkom in mijn zwembad. Ik zal hun zwembandjes er eens af gaan trainen.'

Een luid applaus klinkt. 'Oma! Oma! Oma!'

Maar oma Spagaat is nog niet klaar. 'Het liefst wilde ik nu Tessa en Amba vragen het zwembad te openen door van de glijbaan te gaan. Tenslotte zijn die twee meiden onze heldinnen. Zij hebben ons van de ondergang gered.'

Een luid applaus klinkt. 'Tessa! Amba! Tessa! Amba!'

Maar nog altijd is oma Spagaat niet klaar. 'Maar ik ken mijn Goudkusters. Jullie hebben het geduld en het fatsoen niet om daarop te wachten. De barbecue gloeit, de frituurolie walmt en de kakkers zijn geslaagd. Jullie hebben honger. Jullie kunnen maar aan één ding denken. En daarom verklaar ik nu zowel het zwembad als het buffet voor geopend. Aanvalluh!'

Iedereen rent naar het eten. Alleen de barones ploft neer op een stoel. Tessa krijgt er bijna de slappe lach van.

'Ik haal wel wat voor je, pareltje,' hoort Tessa de jonkheer zéggen. 'Je hebt je als een vrouw van stand gedragen!'

140

Tessa holt naar Jennie. Het is onduidelijk wie van hen de breedste lach heeft. 'Jullie zijn geslaagd!'

Jennie grinnikt. 'Vooral Amba en jij, zo te horen!'

Tessa trekt een pruillip. 'Voor mij is dit avontuur pas echt geslaagd als mijn moeder haar winkel geopend heeft.'

'Is dat zo?' hoort ze ineens achter zich.

'Mama!' zegt Tessa verrast. Haar moeder heeft speciaal voor het buurtfeest haar flamencojurk aangetrokken. Iets in haar moeders blik geeft Tessa een heerlijk kriebelend gevoel in haar buik.

Haar moeder graait in haar tas. 'Ik vind dit wel een mooi moment. Wat? Een beter moment komt er niet. Zal ik je eens iets laten zien?'

Tessa knikt. Wat voor nieuws heeft haar moeder? Het kán geen slecht nieuws zijn.

Haar moeder haalt een brief uit een envelop. 'Lees maar.' En Tessa leest hardop voor: 'Huurovereenkomst voor de bedrijfsruimte in winkelcentrum Goudglans ten behoeve van feestwinkel In het ootje ingaande…'

Tessa vliegt haar moeder om de hals. 'Mama! We gaan een winkel beginnen! Het gaat door!'

Lees ook de andere twee delen van *Goudkust*:

ISBN 978 90 475 0376 7
Annemarie Bon

De adellijke ouders van Jennifer hebben al hun geld verloren bij de paardenrace. Daarom moeten ze naar Goudkust verhuizen, een achterbuurt, zoals Jennifers moeder het noemt. Jennifer bloeit helemaal op, eindelijk kinderen in de buurt om mee te spelen. Dan besluiten haar ouders dat hun paard Donna naar de slacht moet, omdat ze geen voer meer kunnen betalen. De buurtkinderen willen Jennifer best helpen, maar daar staat wel iets tegenover…

ISBN 978 90 475 0377 4
Rom Molemaker

Tijdens het WK voetbal is iedereen in Goudkust in oranjestemming. 's Avonds kijken ze met z'n allen naar de wedstrijden en alle huizen zijn versierd (nou ja, bijna allemaal). Als Jeffrey een oude stencilmachine vindt, besluit hij een geheime buurtkrant te maken. Samen met Robbie en Natasja gaat hij op zoek naar nieuws. Superspannend! Totdat Jeffrey zelf een geheim heeft... Een geheim dat absoluut niet in de krant mag komen! Hoe moet dat nu?